LE TEMPS
D'AIMER

DU MÊME AUTEUR
AUX ÉDITIONS ODILE JACOB

À quoi sert le couple ?, 1996

WILLY PASINI

LE TEMPS D'AIMER

Traduit de l'italien par
Jeanne Lancret

EDITIONS
ODILE JACOB

Ouvrage paru en Italie
aux Éditions Mondadori
sous le titre : *I Tempi del cuore*
© 1996, Arnoldo Mondadori Editore, S. p. A., Milan

Pour la traduction française :
© ÉDITIONS ODILE JACOB, AOÛT 1997
15, RUE SOUFFLOT, 75005 PARIS
INTERNET : http://www.odilejacob.fr

ISBN : 2-7381-0500-2

*Et l'un des avantages quand on ne va pas trop vite,
c'est que le monde y gagne une chance
de devenir plus intéressant.*

Alain de Botton

POUR COMMENCER

« Le temps est un grand maître, dit-on. Le malheur est qu'il tue ses élèves. » Ces mots sont d'un célèbre musicien, Hector Berlioz. La même idée obsédait sans doute le lapin blanc que rencontre Alice au pays des merveilles et qui marmonne, en écarquillant de grands yeux roses : « Pauvre de moi, pauvre de moi, je vais arriver en retard. » Après quoi, il tire une montre du gousset de son gilet, jette un rapide coup d'œil à Alice et presse encore le pas.

On reconnaît sans peine dans ce personnage du lapin blanc l'adulte obsédé par le temps [1]. Il représente Chronos revendiquant son droit face à Alice, la partie enfant qui est en nous. Enfant, mais non infantile puisque, comme nous le verrons, la reprise du temps approprié, du *kairos* ou temps opportun, est un trait caractéristique que partagent nombre d'adultes au tempérament de battant, qu'ils soient artistes ou brillants managers [2]. Pour sa part, la petite Alice voit la montre comme une intrusion étrangère et ennemie, parce qu'elle l'oblige à adapter son temps intérieur sur celui, extérieur, des grandes personnes.

Jonathan Swift donne une autre satire mordante de l'obsession des « aiguilles » dans *Les Voyages de Gulliver* quand il décrit les réactions des Lilliputiens à la vue de la montre du héros : « Gulliver approcha cette machine à nos oreilles ; et elle faisait un bruit continuel, semblable à celui d'un moulin à eau. Nous supposons que c'est ou quelque animal inconnu ou le dieu qu'il adore ; mais nous penchons vers la dernière opinion, parce qu'il nous assura qu'il faisait rarement rien sans le consulter. Il l'appelait son oracle et disait qu'il indiquait le temps pour toutes les actions de sa vie [3]. »

La tyrannie de la montre

Le voici, le nouveau despote, le temps contraint, souvent imposé. C'est le temps social, toujours plus éloigné du temps biologique, comme l'affirme Jeremy Rifkin dans *Time Wars* [4]. Son instrument de torture, c'est la montre, qui a remplacé le chant du coq et le son des cloches. L'avènement du temps social, temps linéaire par excellence, antithèse du temps biologique, qui est parfaitement circulaire, a permis d'étonnants progrès de l'humanité, mais il a aussi créé de nouvelles injustices sociales. La gestion du temps est revenue à ceux qui détiennent le pouvoir, la compétence, la culture, pour l'employer non seulement à rendre meilleur le présent, mais aussi à anticiper l'avenir. De nombreuses recherches sociologiques confirment que l'une des plus grandes inégalités entre les classes sociales a trait justement à la gestion du temps : tandis que les classes aisées peuvent programmer le futur et de là, inévitablement, le temps d'autrui, les classes moins favorisées, harcelées par la nécessité de survivre, n'arrivent à se projeter que dans le présent ou, tout au plus, dans un futur très proche. Elles se retrouvent ainsi dans la même situation que nos ancêtres des cavernes, qui trop occupés à survivre consumaient leurs énergies et ne pouvaient songer à leur avenir.

Nous vivons dans une société « chronophage », qui dévore les heures sur le cadran de la montre. Le temps nous échappe, devient pour nous un insaisissable trésor et une obsession permanente. « Vite, vite, vite » paraît être la devise d'un grand nombre de personnes dans notre entourage. Autant de lapins blancs qui tremblent d'être punis par la duchesse, métaphore de cette société qui nous communique l'incurable passion de la hâte. « Reprenons le temps de vivre », tel semble pourtant être le cri de ce siècle finissant. Et sans doute n'est-ce pas un hasard si c'est justement de l'Allemagne industrieuse et ponctuelle que vient ce signal annonciateur d'une tendance inverse. À Berlin a été fondée l'Union pour le ralentissement du temps qui, parmi ses règles, impose le renoncement à la montre au moins une fois par semaine.

Le règne de la frénésie

Mais qui nous a rendus prisonniers de cette société de la hâte ? La production industrielle surtout, qui, depuis la fin du XIXᵉ siècle, a fait de la vie une chaîne de montage où l'activité est une vertu et la ponctualité une exigence. Les villes se sont réglées sur les horaires d'ouverture et de fermeture des entreprises, à tel point que même l'adultère est devenu impossible aux heures de pointe, pour reprendre l'ironique formule d'un écrivain italien. Le temps tyrannique est donc surtout celui du travail. Et au cours des dernières années, avec le spectre du chômage à nos portes, la soumission aux aiguilles de la montre s'est faite plus complète encore.

Pourtant, comme le fait observer Rifkin dans son dernier ouvrage, *La Fin du travail* [5], nous travaillons de moins en moins, puisque les nouvelles technologies accélèrent le temps de production. La conséquence en est une polarisation nette du marché du travail : d'une part, une élite de technocrates stressée, qui fait trop d'heures supplémentaires ; de l'autre, une masse croissante de chômeurs, d'employés à temps partiel, chassés des grandes entreprises multinationales, travailleurs temporaires, mis hors jeu par l'automatisation progressive de l'activité productrice. Qui sont donc les esclaves de la montre ? Les managers, les dirigeants, les professions libérales, certes, mais ils ne sont pas les seuls. Selon un récent sondage réalisé auprès des salariés d'une entreprise automobile[6], quatre employés sur dix disaient « subir » le temps de travail et finir leur journée plus tard que les horaires contractuels. Bien qu'il y ait là un facteur de stress et de désordres psychosomatiques, les impératifs de type éthique (« Il faut être travailleur ! ») ou d'intérêt (« Une boîte juge ses employés à leur disponibilité, pas seulement aux résultats ») l'emportent. Dans les pays, comme la France, où le chômage reste supérieur à dix pour cent, la crainte du licenciement est plus forte que la rage causée par le temps « subi ».

On appelle souvent ce syndrome la « japonite », mais on ne prend pas les choses à la légère à New York non plus. Récemment, lors d'un voyage en avion, un ami cadre supérieur me racontait qu'il devait participer dans la matinée au petit déjeuner de travail de huit heures, désormais institutionnalisé, mais aussi à la préréunion de sept heures pour préparer celle qui suivait ! Ce qui est paradoxal, c'est que ce voyageur du très rapide *Concorde* a perdu dans les embouteillages new-yorkais deux des trois heures que lui avait fait gagner l'avion supersonique.

On voit ainsi apparaître un premier stéréotype, celui de la frénésie. L'empressement des années quatre-vingt qu'on pouvait résumer par la formule « Ce qui est rapide est beau » se limite désormais aux seuls cercles de managers, tandis qu'une couche toujours plus étendue de la population reste empêtrée dans le temps imposé et le temps perdu. Ils sont nombreux, nous le verrons, ceux qui cherchent à mettre en acte des stratégies d'opposition à la dictature du temps. Sûrement parce que les vrais nouveaux riches sont ceux qui n'ont pas l'obsession de la montre.

L'art de prendre son temps

Passons donc maintenant à l'autre stéréotype, au complément de la mauvaise hâte, je veux parler de la bonne lenteur. Selon un proverbe berbère, celui qui ne sait pas prendre le temps est un homme mort. Il ne manque pas de managers de haut niveau qui décident de « décrocher » et de donner un nouveau sens à leur vie. « Avant, je travaillais double, a déclaré l'un de ces transfuges, maintenant je vis double [7]. » Décrocher signifie donner sa démission ou bien simplement travailler et gagner moins, quitte à réduire sa consommation. Cet objectif n'est pas vraiment impossible à atteindre, si quatre-vingt-deux pour cent des Américains admettent qu'ils font chaque semaine des achats qui débordent leurs besoins [8]. Parmi les nouvelles tendances outre-Atlantique est apparue le *downshifting*, c'est-à-dire la réduction des besoins personnels et du niveau de consommation. Ralentir donc, pour vivre mieux. Et s'il le faut, échanger du temps contre du temps, projet insolite et génial de la banque du temps (dont nous reparlerons au chapitre « L'art de prendre son temps »).

Vite et bien !

Jusqu'ici, tout semble aussi clair que le partage des bons et des méchants dans un western. La lenteur est positive, la frénésie est négative. En réalité, une analyse plus attentive permet d'appliquer au temps le concept d'ambiguïté que j'ai employé ailleurs à propos des sentiments [9]. La connaissance de l'âme humaine s'enrichit d'accepter l'ambiguïté et la complexité des sentiments, qui sont des passions tantôt bénéfiques, tantôt maléfiques. Ainsi en est-il de la tendresse qui est chaleureuse, enveloppante, mais aussi étouffante, ou de la sincérité qui peut être une valeur idéologique ou un risque stratégique.

Le temps se caractérise par la même ambiguïté. Nous le verrons, la hâte n'est pas uniquement un monstre qui nous dévore, elle comporte aussi des avantages appréciables. Les transports à grande vitesse en fournissent un bon exemple : ils ont contribué à améliorer notre façon de voyager, mais aussi notre manière de vivre. Dans la compétition qui oppose le train à l'avion, l'une des idées intéressantes de la direction des chemins de fer a été de développer le confort intérieur des voitures comme s'il s'agissait de salons privés, cependant que le paysage, à l'extérieur, défilait à toute allure.

Selon le futurologue Alvin Vintoffler [10], le XXIe siècle sera dominé par ceux qui savent être rapides. Toute la stratégie de l'efficacité japonaise et américaine est fondée sur la rapidité et la parfaite synchronisation des temps de production et de vente. Un cadre supérieur chez IBM m'a rappelé combien la faculté de décider très vite était importante dans le management. L'anecdote qu'il m'a racontée se rapportait au procédé de sélection employé pour choisir parmi un groupe de candidats : alors que ces derniers étaient prétendument « testés » sur un travail fictif, on leur apprenait brutalement qu'ils allaient devoir prendre l'avion dans une demi-heure pour New York. Ils devaient donc, dans un laps de temps très court, organiser le voyage, la conférence et établir les documents dont ils avaient besoin. En une demi-heure à peine, on pouvait par ce moyen déterminer quels candidats étaient véritablement dotés de la faculté d'anticiper et avaient l'étoffe d'un manager.

En dehors du champ du management aussi, la rapidité comporte des aspects positifs. L'intuition du *broker* à la Bourse est comparable à l'inspiration créatrice de beaucoup d'artistes. Il y a eu les futuristes pour introduire la vitesse dans l'art, mais la hâte avait déjà porté de beaux fruits en littérature : Dostoïevski a écrit *Le Joueur* en vingt-huit jours et Stendhal composé tout l'édifice merveilleux de *La Chartreuse de Parme* en moins de deux mois. Au fond, vivre à la manière d'Hemingway peut être un bon mode de vie pour tous ceux qui savent se lancer à fond et qui, loin de s'épuiser en brûlant les étapes, trouvent dans cette dynamique une stimulation vitale.

Dans le monde animal, on voit aussi que la rapidité n'est pas un défaut. C'est elle qui permet à la gazelle d'échapper au lion ou à la mangouste de capturer le serpent dont elle évite les morsures mortelles. De même, dans notre monde de fous, la rapidité des secours est essentielle, et personne n'aurait l'idée de critiquer la vitesse à laquelle roule une ambulance pour sauver une vie humaine.

Le temps, ce n'est donc pas simplement de l'argent, c'est aussi du bonheur, celui que nous éprouvons à vivre pleinement et intensément. Au chapitre « Vite et bien ! » nous verrons comment l'anticipation, l'accélération et la synchronisation sont les caractéristiques positives, qui, avec le flair et le coup d'œil, distinguent les sujets rapides de ceux qui ont adopté une « vitesse de croisière ».

La vie paralysée

Pour compléter le tableau de l'ambiguïté du temps, il nous reste à évoquer la mauvaise lenteur, laquelle est parfois l'expression d'inhibitions ou de troubles caractériels. Il existe une lenteur subie sur le plan physique, celle des personnes sportives qui, l'âge venant, ne peuvent plus courir et doivent se résigner à marcher. Il y a aussi la lenteur mentale de ceux qui semblent raidir leur pensée en même temps que leurs artères : en vieillissant, ils cessent d'entretenir leur cerveau et se trouvent bien vite distancés par une société qui évolue à un rythme toujours plus rapide et où le passage des générations se fait très vite. Autrefois, les anciens étaient considérés comme des sages ; leur pondération, leur patience passaient pour des vertus. De nos jours, la lenteur semble une faiblesse, surtout aux yeux des jeunes générations habituées à la frénésie.

Il y a aussi la lenteur, parfois intolérable, du temps libre imposé à la personne sans emploi ou des retraites anticipées, préconisées dans l'intérêt de l'entreprise plutôt que dans celui de l'employé. Et puis, il y a les longues nuits, les insupportables insomnies de l'amoureux délaissé ou du conjoint jaloux, qui attend anxieusement le retour de son partenaire. Il y a, enfin, l'angoisse des aiguilles immobiles, du temps en suspens, par exemple dans ce film inquiétant et divertissant, *Un jour sans fin*, avec Bill Murray et Andie McDowell, où le héros voit se répéter, comme dans un cauchemar, la même journée à l'identique. Jusqu'à ce qu'il retrouve, enfin, sa liberté et puisse de nouveau avancer dans le temps de la vie.

Que nous le choisissons ou que nous le subissons, le temps peut se faire notre ami ou notre ennemi, conformément à la loi relativiste énoncée par Luigi Pirandello : « À chacun sa vérité [11]. »

La même ambiguïté se manifeste dans la vie privée, tout particulièrement dans le monde de l'éros. Ce livre traitera donc dans une seconde partie du temps du désir et de l'Éros, et de la synchronisation du bonheur dans la vie d'un couple. Il existe en effet une multiplicité de points de rencontre ou de conflit en raison de la quantité d'exigences contradictoires qui jalonnent notre chemin vers le bonheur. Nous en verrons quelques-uns.

Les dangers du supercoup de foudre

Même tomber amoureux a ses règles propres, ses rythmes. Il arrive que le moment de l'attirance entre en conflit avec le temps nécessaire pour mieux faire connaissance en vue d'un lien durable. C'est ainsi qu'on peut observer un phénomène assez singulier quand un couple brûle les étapes : c'est le « supercoup de foudre ». Dans les cas positifs, prévaut l'utilisation intuitive des messages, verbaux et autres, autour d'une personne qu'on vient tout juste de rencontrer. Dans les cas négatifs, il s'agit d'un acte de passion, avec un partenaire hypothétique qui n'a d'autre existence qu'imaginaire. Outre l'idéalisation, il y a un risque évident d'illusion : c'est bien la preuve que la rapidité peut se révéler plus opportune au travail que dans les affaires amoureuses. Entendons-nous : les mariages éclairs ne sont pas condamnés *a priori* à l'échec, mais ils nécessitent un temps ultérieur où les partenaires vont se rechoisir, souvent d'ailleurs pour des raisons différentes. Et il y a aussi du péril dans la situation diamétralement contraire : il arrive que des couples réfléchissent tellement avant de se marier qu'ils ne trouvent plus de raison suffisante pour s'y risquer. De nos jours, ce sont surtout les hommes qui ont peur de s'impliquer et qui vivent le « syndrome de la corde au cou ».

Le lent progrès de la séduction

C'est en particulier dans le décalage entre sexe et sentiments que risquent de surgir des conflits de rythme. Souvent, la sexualité déclenche une attirance qui a un fondement biologique, alors que le cœur enjoint encore à la prudence. Dans certains cas relevant plutôt de la pathologie que de la norme, on retrouve le syndrome décrit par Robin Norwood dans *Ces femmes qui aiment trop* [12], mais qui vaut assurément autant pour les hommes. Ces sujets sont, en quelque sorte, des drogués de l'« éruption sentimentale » : ils ont besoin de faire l'amour vite, mais également de tomber amoureux rapidement, car ils sont incapables de différer leurs émotions. À pareille vitesse, cependant, la difficulté à synchroniser deux corps et deux cœurs augmente : l'harmonisation suit une allure plus lente qu'on ne retrouve que dans de rares moments magiques de la vie, dans l'orgasme simultané par exemple, encore plus beau si partagé avec la personne qu'on aime. S'il en est ainsi, c'est parce que le temps du désir, le temps de l'attente, peut se montrer plus intense que le temps du plaisir, qui est plus immédiat mais aussi éphémère. Les grands amoureux qui font de la séduction leur principal objet le savent bien : pour eux, l'épilogue entre les draps n'est finalement que d'un intérêt secondaire.

Aimer ou travailler ?

Il arrive que le temps des sentiments et le temps du travail deviennent incompatibles. C'est ce qu'a constaté mon ami Georges, brillant cadre supérieur, ouvert à toutes les rencontres érotiques mais ne supportant aucun attachement sentimental : « Le temps érotique peut être contrôlé par au moins un des deux partenaires, m'a-t-il expliqué, il peut être programmé, noté dans un agenda. Tandis que le temps sentimental fait perdre la tête, il oblige à répondre aux appels téléphoniques de la personne aimée, même au beau milieu d'une réunion de travail très importante. »

Cette incompatibilité ne se manifeste pas seulement quand on vit une grande passion. Pour beaucoup, l'augmentation des heures de travail en pleine crise de l'emploi a un dangereux contrecoup : le manque de temps qu'on peut consacrer à la vie privée, que ce soit à ses enfants ou à son conjoint. Ce sont les femmes qui courent en ce domaine le plus grand risque, car elles doivent jongler entre les obligations professionnelles et familiales, entre le travail au bureau et le travail à la maison : ce double effort peut parfois les briser.

Et ce n'est pas tout : nous souffrons de plus en plus de l'absence d'un temps qui servirait de sas de décompression entre le travail et le retour chez soi. Ce pourrait être une partie de tennis ou une heure de gymnastique, l'apéritif dans un bar avec des amis, une réunion syndicale, un cours du soir de jardinage ou même une simple promenade. À la fin de nos journées toujours plus remplies, nous risquons de rentrer à la maison encore trop « chargés » et de nous servir de notre famille comme d'un paratonnerre.

Ceux qui ne parviennent pas à réconcilier ces deux temps, professionnel et affectif, risquent de tomber dans la solitude moderne et angoissante qu'éprouvent les personnages d'un récent film américain, *Denise au téléphone* : entre leurs ordinateurs, leurs mobiles, leurs fax et leurs modem, ces jeunes as de la télématique finissent par ne plus sortir de leur appartement, abdiquent tout rapport interpersonnel et ne communiquent plus que par téléphone. L'exemple est excessif, sans doute, mais c'est un avertissement, une sorte de mise en garde, pour que le temps du travail, plus exactement du télétravail, ne dévore pas le temps des sentiments, de l'amitié et de l'amour.

Le prix du rêve

Et le temps de rêver, de lire des romans et des poésies, le temps de cultiver ses passions privées, le temps, en général, de désirer : c'est un temps différent de celui de l'action et de la réalisation. Au-delà des diversités culturelles, il existe un temps biologique – la chronobiologie – qui peut nous aider à comprendre pourquoi tel désir nous assaille à telle heure de la journée.

Je crois vraiment que nous devons faire nôtre le message de Rifkin : il est impératif que nous négocions mieux le temps biologique et le temps social, à la recherche non seulement du bonheur mais aussi de la réussite. Au cours d'un séjour dans une université californienne, j'ai fait la connaissance d'un banquier très brillant, estimé de tous ses confrères. Ses résultats en matière de fonds d'investissement étaient parmi les meilleurs de Wall Street. C'était un homme agréable et créatif, qui avait une passion pour la photographie. Souvent, l'après-midi, alors même que la Bourse était encore ouverte, il allait photographier le coucher de soleil sur les rochers de Big Sur, au sud de San Francisco. Cette force intérieure, cette fantaisie d'artiste, ce petit quelque chose en plus le rendaient différent des autres banquiers, consciencieux mais moins créatifs. J'ai parlé de lui à un financier de Genève qui a souhaité le rencontrer et qui a ensuite décidé de lui confier une partie du patrimoine qu'il gérait. Ses clients n'ont jamais su la raison de l'augmentation spectaculaire du niveau de leurs comptes en banque par rapport aux années précédentes. À l'évidence, les quelques pauses consacrées à la photo n'étaient pas du temps perdu.

PREMIÈRE PARTIE

DU BON USAGE DU TEMPS

CHAPITRE PREMIER

Le règne de la frénésie

Selon Émile Durkheim [1], un des fondateurs de la sociologie moderne, le temps est l'élément central de la vie sociale. Pour en prendre la mesure, l'espèce humaine a d'abord mis au point des dispositifs rituels liés aux cycles biologiques, puis elle a inventé les calendriers astrologiques, les cloches et les horloges, avant de concevoir les tout récents instruments électroniques.

Une des thèses principales des écologistes est que le temps social s'est progressivement écarté du temps naturel. Les tribus sédentaires du paléolithique et les populations de chasseurs nomades avaient institutionnalisé leur rapport à la nature par un ensemble de rites sacrés : leurs danses et leurs chants accompagnaient le cours des saisons. Quand la chasse a été délaissée au profit de la culture des champs, leur intérêt s'est déplacé des horloges biologiques vers les horloges cosmiques. Observant le mouvement des astres, l'homme est parvenu à mettre au point un système complexe de calcul du temps : le calendrier était né, plus adapté à la vie agricole sédentaire. Il a servi, jusqu'à l'époque moderne, à fixer les principaux événements religieux, sociaux et économiques avant d'être, si l'on en croit Jeremy Rifkin, concurrencé aujourd'hui par d'autres repères temporels, « comme la déclaration de revenus, les années fiscales, les plans quinquennaux, les célébrations politiques et jusqu'à la fête du travail [2] ». Quoi qu'il en soit, il conserve dans les pays occidentaux l'empreinte de la religion chrétienne, avec son partage de l'histoire en deux grandes ères, avant et après Jésus-Christ. La Révolution française a bien tenté de « séculariser » le temps et d'éliminer l'influence de l'Église, mais ses efforts ont tourné court : dès 1805, Napoléon rétablissait le calendrier traditionnel pour apaiser le peuple français que le calendrier révolutionnaire – douze mois de trente jours divisés en trois décades – obligeait à travailler davantage et pour favoriser un rapprochement avec le Vatican.

La division des journées en heures a impliqué un contrôle du temps beaucoup plus étroit que celui permis par le calendrier. Les cultures de l'horaire ne commémorent pas, elles programment. Sur ce point, l'ordre bénédictin a été un précurseur. Fondé par saint Benoît au VIe siècle, celui-ci se distingue des autres ordres monastiques par l'extrême importance qu'il accorde au travail, avec sa devise *Ora et labora* et son rejet de l'oisiveté, jugée néfaste pour l'âme. Chez les Bénédictins, le moment des repas, de la toilette, du travail, de la méditation, du sommeil est fixe, réglé par l'appel de la cloche qui rythme les besoins de l'individu et de la communauté. Comme le dit très finement Reinhard Bendix [3], le moine bénédictin est le premier exemple d'homme professionnel dans la civilisation occidentale.

Ce sont d'ailleurs les Bénédictins qui ont inventé l'horloge mécanique, bien plus précise que la clepsydre et la cloche. D'abord confiné dans les cloîtres, cet instrument de mesure devient, autour du XVe siècle, une composante essentielle du nouveau paysage urbain. Dressée au milieu de la place principale, l'horloge remplace les cloches comme temps de référence pour la coordination des activités. Le cadran sur la tour devient le symbole de l'orgueil citadin. À peine deux siècles plus tard, vers le milieu du XVIIe siècle, on invente la pendule, instrument mécanique pour la mesure du temps dont la précision est encore plus grande, et au XVIIIe siècle, on introduit, en plus de l'aiguille des minutes, une autre aiguille pour les secondes. Ainsi, comme l'a noté le sociologue Lewis Mumford[4], s'accroît l'écart entre le temps et les événements humains ou, comme l'affirme l'historien David Landes, entre les événements humains et la nature[5].

Les marchands ont très vite saisi l'importance de la synchronisation. Ses premières applications apparaissent dans les manufactures textiles où l'organisation préfigure certaines étapes de la révolution industrielle. Le prolétariat urbain est réuni chaque matin dans les fabriques où la complexité et la forte centralisation de la production imposent bien vite l'établissement d'un horaire marquant le début et la fin de la journée de travail. Selon l'historien Jacques Le Goff[6], l'introduction de la montre a eu pour effet de renforcer le contrôle exercé sur les masses : l'horloge se transforme en un instrument de domination économique, sociale et politique, entre les mains des marchands, détenteurs du pouvoir dans leur commune. Le temps se retrouve « arraché à ses ressorts biologiques et environnementaux, enfermé dans le mécanisme des machines automatiques, capables de l'égrener en des battements réguliers et définis[7] ». La précision devient la valeur suprême de la nouvelle ère industrielle cependant que la ponctualité se change en un impératif moral, essentiel à la structure temporelle de la vie laïque.

Au fur et à mesure, le contrôle du temps s'est donc fait plus précis et plus universel. En 1884, on adopte par convention le méridien de Greenwich comme référence pour l'organisation des fuseaux horaires. Cette décision est officialisée en 1912 lors de la Conférence internationale sur le temps qui a lieu à Paris. Par la suite, le caractère de convention sociale attaché au temps est encore confirmé par quelques mesures partielles, comme l'introduction de l'heure d'été.

Nous sommes ainsi passés du temps cosmique au temps social. Reste pourtant un grand problème : celui de l'articulation du temps social, du temps biologique (la chronobiologie) et du temps psychologique subjectif. Nous verrons plus loin, au chapitre « Le corps et ses rythmes », combien les rythmes sociaux s'exercent tyranniquement sur les rythmes biologiques. Limitons-nous, pour le moment, au temps comme source de contrariétés, de mésententes, de stress et de malheurs quand il entre en conflit ouvert avec le temps social ou, simplement, avec celui de notre entourage.

LA FRÉNÉSIE DE PRODUIRE

Si nous nous écartons de plus en plus des rythmes effrénés des *yuppies* des années quatre-vingt, nous sommes encore entourés de top managers, très affairés. Ceux-ci commencent par souscrire à l'idéologie du système, sans y prendre vraiment garde ; deviennent, petit à petit, de véritables tyrans du temps d'autrui et finissent par manifester des signes de profond malaise.

C'est le cas de François, vingt-huit ans, diplômé d'une prestigieuse école de commerce. Il a commencé par travailler dans l'entreprise immobilière de son père, mais la crise économique l'a forcé au bout de cinq ans à chercher un nouvel emploi dans un autre secteur. C'est six mois après avoir été embauché dans une banque qu'il vient me voir. Il souffre d'accès de panique qui le prennent surtout le matin, quand il sort pour se rendre à son travail. Lorsqu'il est au volant de sa voiture, les attaques sont parfois si fortes qu'elles l'obligent à s'arrêter. La panique s'accroît d'être reconnue comme telle, et François craint de rester paralysé sur l'autoroute. Du coup, il s'est équipé de deux téléphones mobiles, pour être sûr de toujours pouvoir demander du secours. En revanche, quand vient le soir, François s'endort facilement, heureux d'échapper, par le sommeil, à ses obligations quotidiennes. Après avoir examiné et exclu d'autres facteurs possibles, de type conjugal, il apparaît que François s'adapte mal à son nouveau rythme de travail, imposé non plus par un père aimant et tolérant, mais par une institution financière soucieuse d'accroître sa clientèle et exigeant de tous ses nouveaux employés qu'ils « fassent du chiffre ». Les accès de panique sont la façon qu'a François de réclamer de l'aide et de manifester son sentiment d'oppression : il se sent harcelé par l'autorité (et par le temps), par cette demande pressante de résultats. Et le cas de François n'est pas isolé : suivant les résultats d'une étude nationale, le contrôle permanent des résultats par la hiérarchie s'est intensifié au cours des dernières années, passant de dix-sept à vingt-trois pour cent entre 1987 et 1991 [8].

Vous vous souvenez de Charlot dans *Les Temps modernes* : obligé d'exécuter des gestes automatiques à la chaîne de montage, il devient esclave des mêmes réflexes et des mêmes tics jusque pendant les repas. Cette frénésie tyrannique de la production est confirmée par un autre épisode moins connu : au début du siècle, les ouvriers de certaines entreprises devaient déposer leur montre à l'entrée de l'usine, parce que leur patron était seul propriétaire de leur temps. Aujourd'hui, si les salariés ont le droit de porter une montre à leur poignet, ils n'ont pas repris possession du temps pour autant.

En témoigne l'histoire d'un autre cadre supérieur, Franck, longtemps très fier de n'avoir dans son bureau qu'un seul fauteuil : le sien. Tous les collaborateurs qui venaient le trouver pour discuter de leur travail devaient rester debout : ils disposaient, montre en main, de trois minutes pour exposer les problèmes qui les avaient amenés à solliciter un rendez-vous auprès de leur supérieur hiérarchique. L'absence de chaise était une invitation à « ne pas faire perdre de temps au chef » ! Mais cette formule, destinée à accroître l'efficacité du personnel, a finalement produit une accumulation de ressentiment et de haine à l'égard de ce manager arrogant et Franck, un jour, a été victime d'une dénonciation anonyme pour une traite payée au nom de l'entreprise, et licencié.

L'exigence de productivité est vécue comme une contrainte par ceux qui la subissent, alors que les chefs d'entreprise considèrent que c'est la voie nécessaire pour faire face à la concurrence (reportez-vous au chapitre « Vite et bien ! »). La frénésie des rythmes de production influe aussi sur les décisions relatives aux restructurations d'entreprises, lesquelles conduisent parfois à des résultats... contre-productifs. Une stratégie économique typique des années quatre-vingt-dix, baptisée aux États-Unis *downsizing* – réduction du personnel et délégation en externe d'une partie du travail auparavant assuré en interne –, est déjà en passe de devenir, si l'on permet un jeu de mots, *dumbsizing* – productrice de « coupes idiotes ». Les exemples de Kodak et de Digital Equipment l'ont prouvé : dans ces deux entreprises, la généralisation de la méthode des coupes sombres en vue d'obtenir des résultats immédiatement perceptibles lors des bilans trimestriels a entraîné une chute considérable de la compétitivité, et il a fallu réembaucher le personnel qualifié, trop hâtivement licencié [9].

LA FRÉNÉSIE DE CONSOMMER

Si le temps du travail s'emballe dans la frénésie de produire, le temps dit libre est en réalité un temps rempli d'obligations. C'est avec non moins de hâte qu'on passe de la production à la consommation. Voilà une angoisse caractéristique de notre société. N'oublions pas, dit encore Rifkin [10], que si l'évolution de la consommation, de vice devenue vertu, est un des phénomènes les plus significatifs et les moins étudiés de ce siècle, c'est vraiment dans les années quatre-vingt qu'est apparue aux États-Unis la figure du « consommateur insatiable », éternellement avide de nouveaux biens à acquérir.

Et il ne s'agit pas seulement de la frénésie du shopping : le stress de l'activité professionnelle entraîne l'accumulation d'un immense besoin d'évasion qu'il faut satisfaire promptement, de manière tout aussi fébrile. Je me suis souvent demandé pourquoi les Parisiens se sentaient obligés de partir en vacances le vendredi soir et passaient, en raison des embouteillages, la soirée coincés dans leur voiture, alors qu'ils pourraient prendre la route le samedi matin et arriver un peu plus tard mais bien moins fatigués. Sans doute est-ce parce que la frénésie du travail en est venue à conditionner la consommation et le temps libre.

Ainsi est née cette culture du week-end obligatoire et des vacances à tout prix, où il faut faire le maximum de choses et, si possible, le faire savoir aux autres. Ou la course aux expositions qu'il faut « impérativement » avoir vues dans l'année, l'incontournable voyage aux Tropiques ou autour du monde durant duquel, comme on dispose de très peu de temps, on se contente généralement de « contrôler » que tout est bien comme l'ont promis les dépliants (des pyramides d'Égypte aux plages blanches des Maldives). Les voyages organisés, avec leur programme équilibré d'excursions touristiques et d'activités sportives, proposent, avec une pointe d'exotisme en plus, la même chose que nos villages de vacances : du tennis, de la voile, des leçons de gymnastique aquatique, et une visite au souk le plus proche (pour acheter un petit souvenir, cela va de soi). Le soir, l'heure est aux animations et à la socialisation. Ainsi, même en vacances, le temps libre est assujetti aux aiguilles de la montre. Que faire ? Personnellement, je recommande les pauses *slow* de l'été, les voyages lents sans l'angoisse de la montre. Pourquoi pas la pêche au saumon en Écosse, les randonnées à bicyclette au Danemark ou l'excursion en direction d'un atoll perdu ? Un voyage sans étapes fixes, pour rendre aux vacances cette dimension magique et dilatée qui s'est un peu perdue, mais qui demeure infiniment précieuse. Notamment pour ceux qui vivent en couple.

Bien entendu, ce n'est pas uniquement au moment des vacances que la fièvre de consommer s'empare de nous. L'été est un temps limité et nous voudrions « remplir » à l'excès ces deux ou trois semaines de « répit » et vivre au maximum. Et cette frénésie, de nos jours, est aussi enseignée à nos enfants. Dès six ans, certains tiennent un agenda, qui est aussi chargé que celui d'un Premier ministre : piscine, arts martiaux, anglais, musique, en plus, naturellement, de l'école. Ces enfants suroccupés, auxquels est refusé le temps libre et inorganisé du jeu (ou même de l'ennui), donneront probablement plus tard des adolescents inquiets.

Même quand on n'a pas encore vingt ans, la frénésie peut aller jusqu'à la manie. Elle s'ajoute aux difficultés typiques de l'adolescent, qui perçoit avec trouble les mouvements de son corps en pleine croissance, ne contrôle plus ses rythmes biologiques et s'adapte difficilement aux rythmes sociaux. Mes enfants reçoivent souvent leurs amis à la maison : lorsqu'ils sont ensemble, ils parlent vite, dévalent l'escalier à toute allure et téléphonent sans cesse pour savoir ce qu'ils feront, peut-être, tout à l'heure. Après les heures strictement programmées de l'école et les innombrables activités extrascolaires, ces jeunes gens n'ont qu'un seul mot d'ordre lorsqu'ils peuvent enfin disposer d'un peu de temps libre : « s'amuser à tout prix ».

D'où la course vers les discothèques, qui atteint son paroxysme dans la « formule Ibiza ». Si certains touristes accordent encore un peu d'importance à la plage et s'y rendent aux premières heures du jour, la vie d'une masse croissante de jeunes vacanciers commence seulement l'après-midi et devient progressivement plus intense à mesure qu'approche l'heure d'ouverture des boîtes de nuit. Celles-ci se partagent selon une hiérarchie bien précise : il y a les petites, où l'on fait connaissance, et les grandes, où l'accélération du temps et le rythme de la musique assourdissante sont de véritables drogues. Tout cela est facilité par l'alcool et l'ecstasy, qui permettent de faire ce qu'on veut, toujours plus vite et sans y penser. On a analysé la prise de ce nouveau stupéfiant comme « la consommation de l'âme ». Le consommateur type d'ecstasy, dans quatre-vingt-deux pour cent des cas, est un mâle de vingt et un ans en

moyenne, dont le repaire préféré est évidemment la discothèque [11]. Par son mélange d'amphétamines et d'hallucino-
gènes (de la mescaline, généralement), l'ecstasy a l'avantage,
par rapport à l'héroïne, de faciliter les relations, de rendre
plus aisés les contacts et d'épargner timidité et préambules.
En réalité, l'ecstasy accroît le sentiment de hâte, coupe la
faim et efface la fatigue ; voilà pourquoi elle permet de danser des heures durant, jusqu'à l'aube [12]. L'essentiel, c'est de
précipiter le rythme.

La consommation frénétique du temps libre, éventuellement aidée par la prise de drogues, peut s'expliquer par
trois phénomènes :

1. L'accélération constante du travail qui se poursuit,
comme réflexe conditionné, pendant le week-end.

2. La pauvreté en satisfactions de la vie quotidienne,
qui amène à concentrer, le samedi et le dimanche, tous les
plaisirs de la semaine.

3. L'hédonisme consumériste, qu'on peut juger sévère-
ment, mais qui s'enracine tout de même dans une philosophie valorisant l'expérience du présent, puisque le passé nous
est refusé et le futur incertain. Nous en sommes toujours au
vieux *Carpe diem* d'Horace, mais détourné de telle manière
que l'instant qui fuit n'est plus savouré mais « consommé ».

LA FRÉNÉSIE DE RÉUSSIR

Si le temps exerce sa tyrannie sur la production et la
consommation, le succès individuel se mesure également
dans des temps toujours plus brefs. Ceci peut porter aux
griseries du triomphe ou bien à l'angoisse d'avoir raté le bon
train et de savoir que l'occasion est perdue à jamais.

Les carrières (trop) fulgurantes

Les journaux à gros tirage et les revues économiques
décrivent avec un mélange d'admiration et de jalousie les
succès foudroyants de certains banquiers ou chefs d'entre-

prise. Il y a des différences, toutefois. Aux États-Unis, où règne le mythe du self-made-man, le modèle reaganien du cow-boy conquérant est toujours en vogue. En revanche, en France, les ascensions trop fulgurantes suscitent de l'admiration, mais aussi de l'envie et de la défiance, comme l'a montré le cas de Bernard Tapie. Dans les pays fondés sur de grands patrimoines familiaux et séculaires, on se méfie des empires construits en une génération par un seul homme, ce qui explique parfois la dégradation des rapports humains, la prévalence de la rancœur et de l'envie sur la saine compétition entre les êtres et les gens de même métier. L'autre visage de ces carrières fulgurantes, c'est l'apparition de faillites souvent aussi spectaculaires, chutes d'étoiles dans le firmament de la finance.

Il faut mettre à part les femmes qui font carrière : aujourd'hui encore, celles, peu nombreuses, qui parviennent à briser le *glass ceiling*, le toit de verre qui laisse miroiter le succès mais s'oppose à leur ascension, sont très souvent l'objet de mesquineries et de médisance qui portent moins sur leurs capacités professionnelles qu'amoureuses. Comme si la carrière d'une jolie jeune femme devait nécessairement passer par le lit.

Les fins de parties

J'ai soigné des dizaines de joueurs de football de première division qui souffraient de stress, de troubles psychosomatiques ou de problèmes sexuels. Presque chaque fois, leur névrose s'expliquait par une gestion tyrannique du temps, avec l'incontournable match hebdomadaire et la perspective d'une carrière courte. Les professionnels les plus « résistants » supportaient bien le rythme des entraînements, des suspensions et l'intense concentration d'énergie pendant les quatre-vingt-dix minutes de jeu. Les autres, plus fragiles, étaient victimes de ce temps artificiel et frénétique, nullement en syntonie avec leurs rythmes biologiques. Insomnies, brûlures d'estomac, tension musculaire excessive ne tenant pas au sport : ils payaient à ce prix l'angoisse de la performance du prochain match. Au stress s'ajoutaient l'image sociale du succès, la difficulté croissante à gérer l'intimité et l'exposition continuelle à la séduction féminine, explicite et insistante. Derrière l'abondance d'argent, de succès, de femmes, dans ce *mix* frénétique, il y avait, en filigrane, l'angoisse que tout cela ne puisse durer. Le déclin peut être aussi foudroyant que la gloire : on a vu bien des sportifs célèbres sombrer à quarante ans dans l'alcool et déchoir socialement, parce qu'ils ne supportaient pas leurs premières défaites sportives et l'anonymat succédant à une période de succès fulgurants.

Les météores de la scène

Il n'y a pas que le sport, bien sûr : le monde du spectacle, aussi, est plein d'étoiles, qui peuvent briller pour un instant, puis s'éteindre. C'est le fameux « quart d'heure de célébrité » d'Andy Warhol, favorisé par la télévision, qui fait entrer le spectacle dans chaque foyer. Il y a cinq ans, j'avais décidé de mettre dans une plus large lumière mes activités scientifiques. J'ai alors découvert que pour avoir accès à n'importe quel espace télévisuel, il fallait tenir compte de son orientation politique. En outre, il faut faire vite si on veut plaire, car l'esclavage de l'audimat entraîne la suppression de certaines émissions quand le taux d'écoute ne grimpe pas.

La peur de vieillir tenaille, depuis toujours, les acteurs et les actrices. Certains, comme Jean Gabin, Sean Connery ou Jeanne Moreau, ont réussi à faire évoluer leur personnage à mesure qu'ils avançaient en âge. Chez d'autres, c'est la crainte de l'échec, avec le temps qui passe, qui l'emporte. Ne parlons pas de la mode, où l'on voit défiler des filles toujours plus jeunes (aujourd'hui, on en est à recruter des jeunes filles de treize ans !). Naomi Campbell, à peine montée sur les planches, est déjà dépassée, et le show business est plein de top models qui cherchent, comme elle, à se recycler avant qu'il ne soit trop tard.

Il y a aussi les rock stars, comme Michael Jackson et Madonna, qui ont fait de l'accélération fébrile le principal ingrédient de leur succès. La récente maternité de la chanteuse américaine montre combien la frénésie professionnelle a aussi conditionné sa vie privée : son horloge biologique tiquetant, elle s'est empressée, en l'absence d'autre candidat, de faire un enfant avec son entraîneur personnel, un jeune Cubain de trente ans qui a renoncé à tout droit sur l'enfant. Madonna a ainsi fait preuve du machisme le plus réactionnaire, mais en le déclinant au féminin : elle a renversé les termes de la relation verticale qui existe traditionnellement entre le chef de service et sa secrétaire. Mais la rock star a surtout fait les choses en toute hâte, cherchant à gagner de l'espace et du temps, et elle a choisi l'homme le plus proche, celui qui était à portée de main, comme s'il s'agissait d'acheter du lait au supermarché. Il n'y a pas à dire, les mœurs évoluent : avant, l'homme payait la femme, puis la femme riche se payait un gigolo ; maintenant, on achète même le père de son enfant. Tout est fait en express et payé comptant.

Culture instantanée

Dans le monde scientifique aussi, l'accélération est à l'ordre du jour. À preuve, l'université de Genève a récemment découvert – mais c'est vrai aussi aux États-Unis et, peut-être, en France – que la compétitivité effrénée avait invalidé les résultats de certaines recherches de laboratoire : la peur liée aux prestations réalisées et la fureur d'arriver aux conclusions avant les autres ont poussé quelques chercheurs à altérer les protocoles scientifiques. La polémique scientifique entre le Français Luc Montagnier et l'Américain Robert Gallo, se disputant le mérite d'avoir en premier isolé le virus du sida, a rempli les journaux pendant plusieurs mois avant que l'affaire ne soit classée et la thèse de Montagnier confirmée.

Dans la culture alimentaire, le *fast-food* prend le pas,

malgré les hauts cris des académies gastronomiques. Le péril qui menace, c'est la perte de la culture de la convivialité et du plaisir de la cuisine populaire, riche non seulement de saveurs mais aussi d'histoire et de traditions.

Dans le milieu littéraire encore, c'est la vente rapide qui gouverne. Parmi les best-sellers, les livres à grand tirage et les succès de librairie, il faut distinguer entre les *fast-sellers*, qui s'arrachent pendant quelques semaines, et les très rares *long-sellers*, qui continuent à avoir de nouveaux lecteurs longtemps après leur sortie. En particulier, les livres écrits par des journalistes, par des gloires du petit écran ou par d'autres personnalités médiatiques ont la vie courte ; ils doivent, par conséquent, concentrer leur éventuel succès en quelques jours. Ainsi est née une sous-catégorie : l'*instant book*, œuvre de l'instant, composée en général autour d'un fait d'actualité. Pour ma consolation personnelle, mon dernier livre *À quoi sert le couple ?* est resté classé pendant vingt-deux semaines parmi les *best-sellers*, s'avérant appartenir à la classe des diesels plutôt qu'à celle des turbos.

L'impatience des journalistes

Chez les journalistes, l'impatience et la frénésie sont des maladies professionnelles. Ceux-ci sont affligés du syndrome « mort et résurrection » du journal. Que la parution soit quotidienne, hebdomadaire ou mensuelle ne change rien. Même les mensuels, qui ont plus de temps pour établir leur programmation, m'avertissent à la dernière minute qu'ils souhaitent me rencontrer pour faire un « papier ». L'impatience immanente, qui comporte le risque de tomber dans la superficialité hâtive, est une maladie dont pâtit autant le contenu des articles que la vie des journalistes. Certains d'entre eux m'ont avoué qu'ils ne réussissaient à bien travailler que dans le stress : ils aiment cette activité frénétique, surtout s'ils ont la chance de travailler comme « envoyés spéciaux », plutôt que sagement assis à leur bureau (éventuellement parce qu'ils ont déplu au nouveau directeur).

Cette hâte affecte aussi les informations : les antennes paraboliques de télévision, les autoroutes de l'information sur Internet nous submergent de mots et d'images à des rythmes toujours plus brefs, sur des secteurs toujours plus parcellaires, dans des parties du monde toujours plus éloignées. Nous faudra-t-il nous défendre contre l'overdose d'informations ?

LES DANGERS DE LA PRÉCIPITATION

La frénésie de produire, de consommer ou de réussir offre certainement bien des avantages, que nous examinerons au chapitre suivant. Ici, nous en soulignerons les principaux risques.

La perte de temps

Nous vivons dans le paradoxe d'une société immobile, statique derrière son activisme de façade. J'ai pu constater ce paradoxe en Martinique. À cause du climat, les habitants de l'île marchent lentement mais, au volant, ils conduisent très vite et risquent de dangereux accidents faute de pouvoir anticiper le comportement d'autrui. Cette accélération frénétique, qui paraît relever davantage de l'urgence que de la vitesse, doit être distinguée de la rapidité productive, quoique névrotique, d'une ville comme Paris. Si le coût de la vie est plus élevé en Martinique que dans la capitale métropolitaine, ce n'est pas uniquement à cause du prix des transports des denrées de première nécessité, mais bien de l'inefficacité de l'activisme, qui conduit à l'immobilité.

En Italie, Bruno Manghi [13] s'est intéressé de manière très pertinente à ce même phénomène dans les milieux politiques et syndicaux. Pour cet ancien militant syndical, aujourd'hui chargé de programmes de formation professionnelle, la politique est un terrain idéal pour étudier la manière dont l'activité frénétique conduit, en réalité, à une perte de temps. Certaines figures du monde industriel et financier, certains politiciens et syndicalistes, certains membres d'instituts et de fondations passent leurs journées en réunions interminables, commissions ou comités scientifiques, à inventer des projets de lois ou des décrets, qui sont rarement ratifiés. Ce sont souvent les laborieux dissipateurs d'un temps, en apparence, saturé.

Cette profusion d'initiatives politiques et syndicales crée une routine fiévreuse et, aussi, un sens d'appartenance très fort. Lorsqu'on travaille dans ces milieux, on cherche souvent à y être employé à plein temps et on n'en part que contraint et forcé. Souvent, aussi, on finit par accuser ses collègues de gaspiller un temps précieux, grief fréquemment entendu dans les couloirs de certaines organisations internationales établies à Genève, comme l'OMS : c'est une solution commode pour surmonter sa fatigue et sa déception devant l'absence de résultats.

Faut-il en conclure que le temps de l'activité politicienne est intrinsèquement un temps infini ? Que les hommes et les femmes en place sont profondément indifférents au contenu de leur temps de travail et acceptent, presque sereinement, le temps perdu, une fois que l'essentiel est atteint : le maintien à son poste ? Certains vont même plus loin et voient dans tout ce temps perdu un temps providentiel : les décisions qui n'ont pas été prises sont autant d'erreurs évitées et le monde courrait un bien plus grave danger si les projets discutés par les commissions politiques et syndicales étaient adoptés ! Il faudrait donc établir le catalogue des risques auxquels nous avons échappé et remercier les politiciens qui ont perdu du temps [14] !

L'épuisement professionnel

Parmi les inconvénients de la mauvaise hâte, il y a le stress et sa version extrême, le syndrome du *burn out*, condition psychologique d'une personne qui n'est pas seulement stressée, mais littéralement consumée par le travail et par la vie. Mais comment en arrive-t-on là ?

Une personne stressée a d'abord tendance à compenser en intensifiant son activité, parfois à l'aide de café et de médicaments. Si les difficultés persistent, surviennent alors l'irritabilité, l'épuisement et la projection des malaises personnels sur l'entourage. Les conjoints et les secrétaires sont les boucs émissaires de celui qui ne parvient plus à faire face aux contraintes extérieures et se laisse dominer par les événements. Dans la troisième phase du stress, c'est l'épuisement des énergies vitales, avec une sensation de fatigue, d'inutilité et, dans certains cas, la survenue d'un épisode dépressif. Les fusibles ont sauté : on décroche de la réalité professionnelle.

Le stress a pour caractéristique fondamentale la perte des paramètres temporels. La personne stressée ne parvient plus à distinguer ce qui est urgent et ce qui peut être différé. Le passé et le futur se mêlent dans un présent plus pressant et menaçant, comme si on était redevenu un enfant.

Une enquête de l'INSERM sur le stress et la psychopathologie au travail, réalisée en 1991 sur deux mille sept cents salariés du secteur tertiaire, a révélé chez plus de trente pour cent des personnes interrogées des manifestations de stress psychopathologique. Parmi les facteurs déclenchants, outre le spectre du chômage, de la maladie et les difficultés conjugales, figurait la fièvre de la vie professionnelle. Les effets étaient plus marqués parmi les employés dont le temps était réglementé de façon stricte par l'employeur.

Le culte des apparences

Dans *Le Petit Prince*, Antoine de Saint-Exupéry [15] raconte l'histoire de l'astéroïde B612, apparu une seule fois dans le télescope d'un astronome turc. Ce dernier fait part de sa découverte lors d'un congrès scientifique, mais personne ne le croit tant son habit est extraordinaire. Peu de temps après, un nouveau dictateur impose au peuple turc le vêtement européen. L'astronome revient faire sa démonstration en arborant, cette fois, un élégant costume occidental, et c'est un triomphe : toute la communauté scientifique l'applaudit. S'il n'est certainement pas vrai que la science se fonde uniquement sur l'apparence, il est certain que l'habit fait encore le moine. Dans les rythmes accélérés de la vie moderne, la culture de l'apparence domine. Même si l'illusion finit par être découverte par celui qui possède de l'intuition...

Autre exemple de la hâte : les cadeaux qu'on achète à la dernière minute au moment de Noël, pour l'anniversaire d'un proche ou, pire, pour la personne qu'on aime. Prenons cette grande fête commerciale qu'est la Saint-Valentin, une des seules fêtes à célébrer régulièrement l'institution du couple. La date du 14 février pourrait être l'occasion de pensées sincères et d'initiatives originales. Dans les faits, c'est souvent une ruée dans les magasins, pour des cadeaux sans grande recherche : un livre sur l'amour, une boîte de chocolats, un bouquet de fleurs ou de la lingerie. Autant d'achats qui sont à l'enseigne du cœur, mais qui ne viennent pas du cœur : les produits ont été pensés et confectionnés par d'autres, pour un public d'hommes et de femmes pressés et de moins en moins inventifs. Les sentiments et les émotions accélérés compriment même jusqu'au temps de la prière. La cathédrale de Périgueux propose ainsi aux touristes du Périgord une « fast messe » : le rite religieux de midi en à peine dix minutes. Pratiquement, c'est la bénédiction, et au revoir [16].

La pauvreté des échanges

Le temps mesuré en nanosecondes par les ordinateurs est un temps frénétique, plus despotique que ne l'avait jamais été celui de la montre et du calendrier [17]. C'est un paradoxe que, dans une culture si soucieuse d'épargner la moindre minute, on en vienne de plus en plus à manquer du bien le plus précieux. On passe beaucoup de temps à économiser du temps pour, finalement, disposer d'un temps libre pauvre en joie, parce que artificiel et déshumanisé. L'accélération continue de notre société nous a fait perdre le contact avec les rythmes biologiques de la planète : nous ne sommes plus liés aux rythmes des marées, au lever et au coucher du soleil, au passage des saisons. Nous avons inventé des raccourcis, comme la lumière électrique ou les récentes technologies informatiques. Certains amis de mon fils, « télématistes » comme tant de jeunes gens aujourd'hui, parlent vite et réduisent leurs réponses à un oui ou un non laconiques, suivant le comportement caractéristique des personnes rivées devant leur ordinateur. Pour les enfants de la technologie, qui ont grandi devant la vidéo, les rythmes sont toujours plus accélérés : une attente de trente secondes pour que le logiciel lancé devienne disponible, c'est déjà long. Et ce n'est pas seulement un problème de communication entre générations, puisque ce modèle est parfois appliqué dans la relation de couple, lorsqu'on en vient à exiger de son partenaire qu'il soit, avant tout, bref et concis, qu'il réponde par oui ou par non. En général, ce sont les hommes qui ne supportent pas l'art féminin de la conversation, cette parole de tout et de rien qui est, pourtant, la trame affective où se tissent les relations.

Les pièges de la solitude

Nous verrons plus loin les incidences de la hâte sur l'éros. Contentons-nous ici de dire que le stress tue le sexe, en le réduisant à de rapports rares de défoulement plutôt que d'échange. Peu de préliminaires et peu de fantaisie, donc, puisque, pour être surprenants et créatifs, il faut du temps et du désir. De même, le stress et l'accumulation du travail nuisent à la qualité des sentiments en causant une fatigue chronique réelle et une fatigue subjective qui provient d'une dépression masquée et de l'insatisfaction de la vie. Résultat : on compte toujours plus de cadres supérieurs, hommes et femmes, hyperrapides et hyperoccupés, qui s'endorment le soir trop vite et trop seuls.

Le rythme frénétique de la vie n'est donc pas sans incidence sur la capacité à vivre des rapports amoureux ou même sur la possibilité de construire une famille. On en reçoit un signal éloquent du Japon, patrie de l'efficacité. La Haute Cour a récemment accordé aux entreprises le droit de muter un travailleur à n'importe quel moment [18]. Le ministre de l'Éducation japonais, Mikio Okuda, a protesté : « Rentrez tôt à la maison, a-t-il déclaré, ne restez pas au bureau plus longtemps qu'il ne faut, faites des enfants et passez plus de temps avec eux. Vous qui êtes pères de famille, essayez donc de prendre davantage de vacances, afin de mieux connaître vos enfants. L'année passée, cent soixante-six étudiants se sont suicidés parce qu'il leur manquait une vraie famille. » Mais c'est une voix à contre-courant dans ce pays où le travail est une religion, une voix qui s'élève contre cette époque inhumaine où triomphe la hâte.

Peut-être le salut viendra-t-il des nouvelles technologies et de la révolution télématique, lesquelles permettront de « libérer » le temps et de l'humaniser. Plutôt que de nous conditionner négativement, les ordinateurs nous aideront-ils à vivre mieux ? C'est une question que nous allons aborder dans le prochain chapitre.

CHAPITRE II

Vite et bien !

Nous avons vu comment la frénésie implacable nous conditionne et dirige notre existence quotidienne. Mais n'existe-t-il pas, aussi, une bonne hâte, qui facilite notre existence ? N'est-ce pas ce que nous appelons la rapidité ? Déjà les Grecs de l'Antiquité reconnaissaient sa valeur et la rapidité compte parmi les qualités suprêmes du héros Achille « aux pieds légers ». Ils vénéraient cette faculté d'atteindre le but en peu de temps, alors qu'ils condamnaient, bien certainement, la hâte, cette précipitation dans le temps qui fait manquer la cible aussi sûrement que la lenteur. Trop vite ou trop lentement, on est intempestif.

La rapidité pour elle-même a surtout été exaltée au XXᵉ siècle. Marinetti, dans son *Manifeste du futurisme*, a écrit : « Nous affirmons que la magnificence du monde s'enrichit d'une beauté nouvelle : la beauté de la rapidité. [1] » Et Gabriele d'Annunzio, unissant au culte de la poésie celui des aéroplanes alors très modernes, entonnait : « Rapidité, joyeuse rapidité, victoire sur le triste poids, première-née de cet arc tendu qui se nomme Vie ! » Puis James Joyce : « La course rapide donne toujours une sensation d'ivresse, à la manière de la faim ou l'argent. »

Et voilà la cible dans le mille : rapidité *plus* argent. La bonne hâte, dans notre société, se résume toute dans le slogan *Time is money* : le temps, c'est de l'argent. Il faut être vif, doubler la concurrence, organiser au mieux son temps de travail pour faire gagner de l'argent à son entreprise ; se montrer efficace, ponctuel, productif. En un mot : gagnant. On se dépêche, même pour entrer sur le marché du travail : le succès extraordinaire des études courtes, comme les IUT ou les écoles de commerce, le prouve. Ces formations supérieures qui durent trois ans seulement accélèrent le passage à la vie professionnelle. De proche en proche, dans tous les secteurs, c'est le facteur temps qui décide du succès ou de l'échec.

La philosophie du « juste à temps »

Aujourd'hui, le futur appartient aux entreprises qui sont *time-based*, qui sont capables de synchroniser temps de production et temps de vente ou qui savent éviter la perte d'heures précieuses pour augmenter la productivité et réduire les coûts [2]. On a remarqué, ces dernières années, un tournant décisif dans la philosophie de la production : elle a basculé du mode *just in case* (littéralement, « pour le cas où »), reposant sur le stockage, au mode *just in time* (c'est-à-dire « juste à temps », « au dernier moment »). Si l'on suit l'explication de Rifkin, « la fabrication américaine répond [...] à une philosophie du " juste en cas " : les fabricants automobiles accumulent de façon superflue d'importantes quantités de stocks en matériels et équipements tout au long de la chaîne de production, pour le cas où il faudrait remplacer des pièces défectueuses ou des équipements imparfaits. Les cadres japonais considèrent cette méthode comme coûteuse et inutile. Leur système de production " juste à temps " s'appuie sur des normes rigoureuses de contrôle de la qualité et de gestion des crises, avec l'objectif de débusquer les problèmes potentiels avant qu'ils n'imposent une panne majeure au processus de production [3] ». Et c'est la très haute productivité du modèle japonais, avec ses technologies informatiques sophistiquées et ses usines robotisées, qui l'a finalement emporté.

L'efficacité au travail

Dans la vie professionnelle, le succès revient à ceux qui savent optimiser le temps, qui sont rapides dans leurs décisions et ponctuels devant les échéances. Ce n'est pas un hasard si l'on voit se multiplier les manuels qui proposent d'apprendre à gérer son temps pour faire carrière. Leurs théories balancent entre le sérieux et la farce. Il suffit de parcourir les titres : cela va de la bonne exploitation du temps pour augmenter les ventes, avec conseils sur le choix de « l'heure juste » pour voir les clients [4], aux gains de compétitivité grâce à la « chronoscopie », instrument permettant d'analyser et de mieux gérer le temps de la clientèle [5]. Il y a aussi des manuels hyperpratiques pour apprendre à devenir manager en trente-six heures [6], parler au téléphone sans perdre une milliseconde [7], gagner une heure chaque jour [8] ou encore devenir un as de l'efficacité en se déchargeant immédiatement de tout nouveau travail [9].

Le temps est donc la clé du succès. Il faut aller vite, au risque d'être approximatifs. Percy Barnevik, directeur de la multinationale ABB (Asea Brown Bowery), accepte que ses managers se trompent dans trente pour cent des cas s'ils prennent leur décision rapidement. Autre exemple significatif : les sondages en temps réel qui permettent aux politiciens, aux industriels et aux publicitaires de connaître l'opinion de la population dans les plus brefs délais et, ainsi, d'agir (ou de réagir) en conséquence.

Mais comment est-il possible de rester sous le coup de cette énergie euphorisante sans se laisser emporter par la frénésie décrite au chapitre précédent ? Malheureusement, sur ce point, les manuels de management manquent cruellement de conseils et d'informations utiles. C'est peut-être pour cette raison que certains cadres pressés finissent par recourir à l'alcool, aux psychotropes ou aux psychothérapeutes (même s'ils le reconnaissent rarement).

Du billet de banque au distributeur automatique

Pourtant, incontestablement, les nouvelles technologies nous rendent d'éminents services en accélérant certaines opérations. Songeons à toutes les innovations qui nous permettent de résoudre toujours plus vite les petits problèmes quotidiens. On peut citer le distributeur automatique ou la carte de crédit, cette « monnaie plastique », qui s'est rapidement substituée aux billets de banque. Sur l'autoroute, les cartes magnétiques nous épargnent les queues interminables aux péages. Les codes-barres inscrits sur les produits tiennent le commerçant constamment informé du nombre d'articles vendus et accélèrent le paiement en caisse grâce au scanner électronique qui « lit » le prix. Pensons aussi aux instruments électroménagers, au lave-linge avec sèche-linge intégré ou au four à micro-ondes qui cuit votre repas en quelques minutes. Pensons encore aux plats ultrarapides et aux soupes « instantanées ».

Et aux trains à grande vitesse, au *Concorde* qui permet de quitter Paris le matin, de travailler à New York dans la journée et de rentrer le soir même, ou encore à ces petites découvertes majeures comme le TIM *(Traffic Information Memory)*, la dernière innovation de Blaupunkt qui se raccorde à l'autoradio et avertit des éventuels embouteillages. Cette mémoire digitale vocale enregistre les bulletins de circulation même quand la radio est éteinte : quand l'automobiliste démarre et allume la radio, TIM rediffuse les quatre derniers bulletins de la route, soit quatre minutes d'enregistrement au total. Ainsi, le conducteur est en mesure de changer son itinéraire au dernier moment si la route prévue s'avère impraticable.

Ce principe de l'autoradio intelligent n'est qu'un des exemples de tout ce que nous offrent les nombreuses trouvailles électroniques pour économiser du temps. Notre société de la hâte ne cesse d'inventer de nouvelles façons de produire vite et de comprendre avec une longueur d'avance ce que recherchent les consommateurs. Il y a de l'excès parfois, comme le prouve cet exemple rapporté par Rifkin. À la National Bicycle Company, société japonaise très avancée dans la rapidité de réaction et de production sur commande, « le client est mesuré par une machine installée dans le magasin, et " attaché " à une taille et une forme de bicyclette grâce à un système de conception assistée par ordinateur. Puis il (elle) choisit la marque et le modèle des freins, de la chaîne, des pneus, du dérailleur et la couleur. Il (elle) peut même choisir de personnaliser sa bicyclette en faisant inscrire dessus un nom de son choix. Les informations sont transmises par voie électronique à l'usine de la société et la bicyclette terminée, sur mesure, pourra être fabriquée, montée et expédiée en moins de trois heures. Il est amusant de constater que l'entreprise a découvert par ses études de marketing que sa réponse, trop rapide, étouffe l'enthousiasme de ses clients. Décision a donc été prise de surseoir d'une semaine à la livraison, pour que ceux-ci puissent vivre les " joies de l'attente " [10] ».

Sur les autoroutes de l'information

C'est la révolution informatique qui a transformé radicalement le rythme de nos journées, désormais pulsées au *bit* de l'ordinateur. Il suffit d'un « mobile » relié à un cellulaire pour communiquer très rapidement depuis n'importe quel endroit : non seulement depuis son bureau, mais depuis le pont d'un voilier, une terrasse au bord de la mer ou une voiture de taxi.

La grande trouvaille des années 1990, c'est Internet. Sur les autoroutes de l'information, on peut communiquer avec le monde entier, pour un prix peu élevé et en temps réel. Il s'y écoule un abondant flux d'informations, de conversations, d'affaires, et aussi de mots doux, puisque les amoureux séparés et impatients ne font plus confiance au dinosaure de la poste et préfèrent le courrier électronique du *e-mail*. La rapidité d'Internet permet aussi de sauver des vies : c'est arrivé pour cette petite fille de Venise, Alice, une enfant de huit ans qui souffrait d'une maladie génétique très rare et invalidante. Pendant des années, les médecins italiens avaient tenté, en vain, de la soigner ou de soulager ses douleurs. Il a fallu seulement trois jours à deux petites camarades pour recueillir, en naviguant sur Internet, les noms des médecins et des instituts spécialisés dans le traitement de ce trouble [11].

Tout ne va pas, néanmoins, sans encombre sur les routes électroniques à grande vitesse, ne serait-ce que d'un point de vue psychologique. À l'origine, les ordinateurs sont des instruments conçus pour faire *économiser* du temps, pareils en ce sens aux instruments électroménagers habituels. Or ils sont vite devenus des outils destinés à faire *passer* le temps, avec des conséquences qui sont parfois à la limite du pathologique. Beaucoup ont développé une véritable passion pour l'informatique et ont fini par renoncer à toute vie interpersonnelle pour poursuivre des rapports « érotiques » avec leur ordinateur. Il y a aussi les « drogués du Net » qui sont, jour et nuit, sur les autoroutes de l'information et négligent toute vie qui ne passe pas par l'écran. Je me souviens du cas d'un jeune couple que j'ai reçu en consultation. L'homme, un ancien « accro » de la télévision, était devenu un fou furieux d'informatique. Sa femme, qui arrivait encore, de temps en temps, à lui faire éteindre le poste, ne parvenait jamais à l'arracher à son ordinateur. Pendant qu'il veillait toutes les nuits devant son écran, elle l'attendait au lit, convoitant un improbable échange de caresses. Un soir, excédée, elle a profité de l'absence de son mari pour détruire le disque dur, devenu son rival en amour.

On peut en dire autant de la nouvelle folie pour les téléphones mobiles qui, employés sans modération, peuvent envahir dangereusement l'intimité et rendre leurs utilisateurs inaptes à protéger le temps qu'ils doivent préserver pour eux-mêmes. En certaines occasions, pourtant, ils m'ont permis de me mettre rapidement en contact avec des patients qui, autrement, seraient restés sans secours, au péril de leur vie.

UNE QUESTION D'INGRÉDIENTS

Est-il possible, dans le cadre domestique, de conjuguer de la même façon efficacité et vitesse ? À côté de la douce oisiveté, peut-on goûter, de retour chez soi, les rythmes fébriles d'une existence trépidante ? Assurément car, même dans le quotidien, bien faire les choses et les faire vite procure souvent un grand bien-être intérieur. Voyons-en, maintenant, les composantes psychologiques.

La rapidité de pensée et d'exécution

Considérons deux états proches, la faim et l'appétit. La faim est dictée par le besoin, tandis que l'appétit provient du désir. Suivant le même rapport, la précipitation est gouvernée par le besoin tandis que l'efficacité opère dans le monde du désir. Besoin et désir se manifestent comme les deux faces opposées d'un même phénomène. Le besoin comporte une dimension instinctive et une intensité qui s'imposent à l'individu et souvent conditionnent son comportement. Le désir, en revanche, est un phénomène moins intense, plus élaboré, plus aisément contrôlable : nous pouvons l'employer, le gérer, et, le moment voulu, en jouir.

Le besoin et le désir nous aident à distinguer entre impatience et rapidité. L'esclave de l'urgence tourne souvent à vide et, lorsque, par la grâce du hasard, il réussit à faire carrière, il devient facilement le tyran du temps d'autrui. Beaucoup de narcissiques trouvent dans la mauvaise hâte la base de leur comportement autoritaire et capricieux. Socialement, pourtant, ils sont en situation de handicap, car l'impatience et l'émotivité qu'ils manifestent sont assurément peu compatibles avec les rythmes des autres.

La rapidité est toute différente : elle permet de faire le tri entre les vraies priorités et les obligations qui peuvent être reportées au lendemain. Pour être rapide en pensée et en acte, il faut avoir un certain ordre intérieur ou, mieux, la faculté de composer naturellement la hiérarchie des événements à mesure qu'ils se présentent. Il faut de l'intuition et une absence totale d'inhibition dans le passage de la pensée au discours et du discours à l'acte. C'est un effet exactement contraire que provoque l'impatience, puisque la confusion entre pensée, parole et action naît de l'incapacité à mesurer et analyser l'intuition initiale. De fait, l'impatience suscite, dans les faits, la précipitation, tandis que la rapidité permet la vitesse d'exécution. C'est un peu comme sur un voilier : les gens rapides savent décider quand « empanner » ou « laisser arriver », ils savent profiter du vent ou éviter la rafale, alors que les gens impatients risquent à tout moment de faire « tanguer » et chavirer le bateau.

Le pouvoir d'accélération

On peut accélérer avec plaisir et en toute confiance, lorsqu'on est sûr de pouvoir, le moment venu, freiner avec autant de facilité. Ce point de conduite automobile s'applique à la bonne hâte, dont l'ingrédient principal n'est pas tant l'ivresse de la vitesse que la liberté de pouvoir accélérer en appuyant sur la pédale. Arrêtons-nous un instant aux voitures : aujourd'hui, l'accélération (exprimée en secondes nécessaires pour permettre à un véhicule de passer de zéro à cent kilomètres) est jugée plus importante que la vitesse maximale, au demeurant interdite – et elle doit être interdite – par le code de la route. En poursuivant la métaphore, nous pouvons dire des personnes « dynamiques » qu'elles savent augmenter leur vitesse en fonction des circonstances.

Savoir accélérer sans tomber dans la panique ou le chaos constitue une force psychologique, laquelle se révèle surtout dans les situations d'urgence. Dans un match de football, l'issue reste souvent incertaine jusqu'au moment où l'une des deux équipes parvient à placer une accélération et emporte la victoire. De même, si le skieur Alberto Tomba se détache du lot, c'est précisément parce qu'il est capable de donner le maximum dans les moments capitaux. Du reste, c'est toujours la capacité de puiser, à l'instant crucial, dans les énergies les plus profondément enfouies qui distingue le vrai champion du bon sportif. Moi-même, qui suis joueur de tennis et de golf, je connais ce plaisir d'accélérer sans perdre la bonne synchronisation afin de donner à mes balles la rapidité et la longueur adaptées.

L'accélération est comme une vitesse supplémentaire : elle est utile, mais pas obligatoire. Certaines rencontres intellectuelles, certaines réunions de travail procurent cette sensation stimulante d'accélération. Toutefois, un tel plaisir n'est possible que si l'on veut bien aller un peu au pas ou au trot, plutôt que toujours au galop. Il en est de même en voiture, où l'on ne dispose pas de cinq vitesses pour rien, mais bien pour pouvoir aller plus vite au moment voulu. On conclura donc que l'accélération est une option, éventuellement une qualité, mais jamais un devoir.

Le sens de l'à-propos

Imaginez un anniversaire où sont réunis plusieurs amis, qui ne se sont pas vus depuis longtemps, et un petit nombre d'invités qui ne connaissent personne. La première partie de la soirée est gâchée par le comportement narcissique de quelques-uns, qui veulent parler ou faire parler d'eux et racontent des anecdotes gênantes et des blagues douteuses, mettant mal à l'aise les autres convives. Et puis, tout à coup, un participant se lève, propose un toast en l'honneur de la maîtresse de maison et prononce un discours plein d'esprit : la soirée se détend et trouve son équilibre. Qu'est-ce qui n'allait pas jusque-là ? Le caractère inopportun des premières interventions, où les invités ne se souciaient pas du moment pour raconter leurs histoires, tant ils étaient dominés par leur propre besoin de paraître.

Le sens de l'à-propos est essentiel dans le métier de diplomate, comme il est indispensable en matière de sentiments. C'est proprement la qualité de toutes les personnes « hétérocentrées », attentives aux besoins et aux rythmes de leur entourage ; mais c'est aussi la capacité de connaître ses propres rythmes et de savoir attendre le bon moment, pour pouvoir vraiment entrer en syntonie avec l'autre. Conclure une affaire ou maintenir une bonne entente érotique implique une oreille disponible et une grande attention à son partenaire. Le sens du moment opportun rend sympathique, attirant, à mille lieues du machisme et du narcissisme. C'est tout bonnement une forme raffinée d'intelligence. Et une qualité indispensable, si l'on veut éviter la précipitation en amour et ne pas heurter le cours naturel d'une histoire qui commence.

L' art de l'anticipation

L'anticipation est une grande qualité intellectuelle qui permet de prendre ses distances par rapport aux événements, d'en cueillir l'essentiel et d'en prévoir les conséquences négatives. Elle peut, dans certains cas, porter à la lenteur ou à la suspension du jugement mais elle est, aussi, une composante essentielle du comportement rapide, libre de tout conditionnement car pensé à l'avance.

En matière de santé, la sagesse populaire nous enseigne d'ailleurs qu'il vaut mieux prévenir que guérir. Des exemples ? L'obésité et le diabète, qui peuvent être modérés par un régime alimentaire adapté. Même lorsque la maladie est déclarée, l'anticipation permet d'intervenir sur les effets négatifs de ces maladies par des programmes diététiques efficaces. Pour les cas de diabète, le professeur Assal, de Genève, a mis au point une stratégie d'éducation du malade aussi pertinente que les médicaments prescrits et qui confirme, en tout point, le rôle de l'anticipation dans les problèmes de santé. De mon côté, j'ai développé le programme « Ménopause et qualité de la vie » parce que, selon moi, les femmes peuvent continuer à vivre intensément et en toute sérénité les années qui suivent la ménopause. L'important, c'est de ne pas la subir passivement, mais de l'anticiper. Les femmes doivent être informées des changements psychocorporels qui surviennent, pour pouvoir les maîtriser et ne plus en avoir peur.

L'anticipation est aussi de première importance dans le domaine de la sexualité : elle permet d'éviter les grossesses non désirées ou de faire face au risque du sida. Mais l'anticipation, prenons-y garde, ne se limite pas à la prévention. Aux échecs, certains joueurs savent anticiper les mouvements de leur adversaire et les tourner à leur avantage. De même, les jeux de rôles ou la simulation anticipée des situations sont très utiles dans les programmes de formation professionnelle. Et à Washington, des pools de politiciens imaginent et « anticipent » des scénarios de crises, de conflits et de coups d'État partout dans le monde, afin d'être prêts, le cas échéant, à réagir. C'est la même chose dans la vie conjugale, avec les enfants ou les amis : il vaut mieux savoir anticiper les obstacles et les crises éventuelles pour pouvoir « virer » à temps. Grâce à l'anticipation, on peut éviter la précipitation et gagner en vitesse d'exécution.

Le sixième sens

Qu'est-ce qui distingue Georges Soros, président-directeur général de la Soros Fund Management, des autres magiciens de la Bourse, intelligents mais ne possédant pas le même flair ? Qu'est-ce qui caractérise le coup d'œil d'un Jean Roudillon ou d'un Silvano Lodi, marchand d'art longtemps responsable des achats de tableaux et d'œuvres d'art pour le compte du célèbre collectionneur, le baron Van Thyssen ? Qu'est-ce qui fait d'un publicitaire un véritable créateur, pareil à Jacques Séguéla ? Je cite ces noms, parce que ce sont des personnes que j'ai vues à l'action et qui m'intéressent parce qu'elles m'ont à chaque fois surpris. Ce n'est pas seulement parce qu'elles travaillent dans des domaines qui ne sont pas de ma compétence, mais à cause de leur forme très particulière d'intelligence, l'intuition, de ce jaillissement imprévisible qui les rend tellement uniques.

L'intuition, comme la créativité, est un phénomène extrêmement délicat à analyser et à étudier. Pour mieux le comprendre, nous pouvons nous aider du concept d'intelligence émotionnelle. Comme l'a récemment montré le psychologue Daniel Goleman, il est temps de remplacer le QI, donnée trop théorique et qui n'indique pas les véritables capacités d'une personne, par le QE ou quotient émotionnel [12]. Pensons à *Rain Man*, dont le personnage principal, l'autiste joué par Dustin Hoffman, sait réciter par cœur la liste des abonnés téléphoniques et réussit des calculs astronomiques, mais qui demeure incapable de vivre en dehors de l'institution psychiatrique. L'intelligence, en effet, n'est pas seulement la capacité d'abstraction démontrée par un test, c'est un mécanisme complexe dans lequel d'autres facteurs, comme le contrôle de soi, l'empathie, l'attention à autrui, jouent un rôle primordial. Il est donc préférable d'employer le terme d'intelligence émotionnelle, pour rendre compte de l'alchimie des facteurs intellectuels et émotionnels qui sont à la base de l'intuition et de la créativité.

PIED AU PLANCHER

Il y a des gens qui aiment brûler les étapes, « enclencher » à toute allure, ne connaissent pas le répit, et sont heureux ainsi. Selon une étude menée en Italie, on compterait jusqu'à douze pour cent d'Italiens – avec plus d'hommes que de femmes – dans cette catégorie de personnes en perpétuelle ébullition. Et non seulement ceux-ci avouent qu'ils vivent à un rythme trépidant mais reconnaissent qu'ils apprécient ce rythme de vie [13]. En véritables forçats de la vitesse, ils prennent tout au pas de course. Leurs modèles

sont Lee Iacocca, le célèbre manager de Ford puis de Chrys-
ler, et Bill Gates, le fondateur de Microsoft Corporation et
l'inventeur du système MS-DOS, installé sur soixante pour
cent des ordinateurs du parc mondial.

Pour ne pas voyager à ces rythmes vertigineux qui dis-
simulent la crainte du répit (et la peur de la mort), il suffit
d'adopter une « hâte raisonnée ». Une hâte sélective qui ani-
merait les moments spéciaux de la vie et laisserait de la
place à des « temps lents », ceux, par exemple, du petit
déjeuner en famille, du week-end ou des vacances en toute
tranquillité. C'est un conseil que ceux qui risquent toujours
la crise cardiaque mais se sentent obligés d'être hyperactifs,
même au mois d'août, et d'organiser les loisirs de toute la
plage feraient bien de suivre.

Parmi les partisans de ces rythmes endiablés, on peut
citer certains présentateurs de télévision, comme Antoine de
Caunes ou Christophe Dechavanne, qui ont érigé en style de
vie cette tendance naturelle à en faire trop. Est-ce parce
qu'ils vivent tout comme si c'était la dernière fois ? Voilà
qui prouverait combien il est difficile de ne pas franchir
cette frontière ténue qui sépare l'ivresse de la vitesse de la
frénésie angoissante. Du reste, l'angoisse, comme la peur,
paralyse autant qu'elle peut électriser. Ce que savent bien
les personnes sexuellement excitées par les situations
inquiétantes ou extravagantes, qui font monter l'adrénaline,
l'hormone responsable de l'excitation.

La vie d'ivresse des « euphorisés » s'articule autour
d'une série de motivations psychosociales. On peut en énu-
mérer trois principales [14].

1. *La motivation.* On ne survit pas à un stress élevé si
on n'est pas très fortement stimulé. Autrement, on y perd
toute son énergie.

2. *Le modèle culturel.* Pour rester « dans le coup », les
hommes et les femmes qui font carrière sont obligés de garder constamment la pédale de l'accélérateur appuyée à
fond. Leurs agendas, remplis de rendez-vous, sont un signe
de réussite.

3. *L'esprit de compétition.* Ceux qui s'imposent une existence à deux cents à l'heure vivent souvent dans une situation de défi permanent. Une amie, bonne polémiste et brillante animatrice de débats, m'a un jour déclaré avec fierté qu'elle attendait un troisième enfant, alors que, moi, j'en avais « seulement » deux.

De toute évidence, ceux qui vivent au maximum savent mettre à profit l'apport positif du stress, son « énergie vitale », laquelle a incontestablement un certain nombre d'effets bénéfiques sur l'organisme. En effet, un stress modéré peut améliorer la faculté de concentration, réduire le temps de réaction, stimuler la production de cortisol, d'adrénaline et de noradrénaline et, donc, accélérer la circulation sanguine et le métabolisme. Selon les psychologues les plus optimistes, il produirait même l'effet d'une véritable cure de beauté, en rendant le regard plus vif et le teint plus lumineux.

Le bon stress rehausse donc les couleurs de la vie, comme la bonne épice relève la saveur d'un plat. Mais il faut rester prudent : toute personne incapable de gérer positivement son stress court le risque de tomber, plus ou moins gravement, malade. Le seul remède alors, c'est de décélérer : c'est ce que nous verrons dans les deux prochains chapitres consacrés à la lenteur.

CHAPITRE III

La vie paralysée

Si l'on appelle à bon droit « express » les trains qui filent sans s'arrêter, les trains qu'on dit « rapides », par une appellation sans doute adéquate à l'époque des omnibus, nous font paradoxalement perdre du temps en s'arrêtant plusieurs fois pendant un voyage. Mais il faut reconnaître que cette perte de vitesse est justifiée par l'utilité des arrêts : envisagé sous cet angle, la relative lenteur des « rapides » a du bon. En revanche, dans notre vie sociale et privée, une progression aussi lente nous paraîtrait certainement pesante, ennuyeuse et insupportable, freinant notre énergie vitale.

Il peut arriver que la lenteur fasse partie d'une stratégie d'enlisement de l'adversaire, au travail mais aussi dans l'économie du couple. En revanche, dans d'autres circonstances, elle est tout bonnement exaspérante : nous connaissons tous l'irritation provoquée par les longs embouteillages alors que nous cherchons désespérément à arriver au travail ou à partir en week-end. Et ces situations sont devenues très courantes : on a calculé que dans les pays méditerranéens, qui détiennent la palme de la lenteur, les automobilistes perdaient environ deux heures par jour dans les transports et que, sur l'ensemble de la vie quotidienne, la plus grande perte de temps était due à la recherche d'une place de parking [1].

Au sud de l'Europe, les interminables files d'attente sont la marque d'une mauvaise lenteur, parce qu'elles ouvrent la voie à l'injustice – il y a toujours des resquilleurs –, mais aussi parce qu'elles proviennent d'un défaut d'organisation. Dans les pays anglo-saxons, les mêmes attentes sont moins graves, car elles permettent, en fait, une optimisation du temps qui bénéficie à l'ensemble de la population. Trop souvent, en France comme en Italie, les dysfonctionnements de l'État et le manque d'organisation sociale donnent à la lenteur une coloration plutôt négative.

LA LENTOCRATIE À L'ITALIENNE

En Europe, un très bon exemple de lentocratie nous est fourni par l'administration italienne. Les Italiens perdent, en faisant la queue aux guichets, quatre-vingt-dix journées de travail par an. Plus encore qu'en France, la fonction publique est, en Italie, un *burocratisaurum*, un mammouth de quatre millions de fonctionnaires qui gaspillent quatre-vingts pour cent de son énergie à se gérer lui-même. Chaque année, ce monstre produit deux cents millions de certificats, dont quatre-vingt-quinze pour cent sont destinés aux différents services qui le composent. La procédure administrative type dure en moyenne cent quatre-vingt-cinq jours. Tels sont les résultats d'une étude réalisée en 1996, communiquée à l'occasion du forum sur la fonction publique [2].

En matière d'informatisation des services publics, l'Italie figure aussi parmi les derniers pays industrialisés. Certaines longueurs bureaucratiques s'expliquent, en effet, par l'absence de modernisation des structures mais, dans d'autres cas, la lentocratie est une stratégie volontaire, destinée à soutirer un peu d'argent aux citoyens.

Je peux en témoigner d'expérience. Il y a dix ans, j'ai fondé avec un collègue de Rome une association internationale pour le développement de la médecine psychosomatique. Désireux d'ouvrir un compte courant pour le versement des droits d'inscription, nous nous sommes rendus ensemble à la Poste centrale. Après quelques péripéties, nous voilà au bon guichet. L'employé perd ostensiblement son temps à s'occuper de différents papiers en attente, et nous demande de revenir dans dix minutes. À notre retour, nous trouvons le guichet fermé : l'employé est maintenant occupé à manger un sandwich. Au bruit de nos protestations, apparaît une personne qui se déclare prête à nous aider. Calculant que le temps déjà perdu nous a coûté bien plus cher que la somme qui nous est gentiment demandée en échange de cette aide, nous acceptons : il suffit, alors, de quelques minutes pour que nous recevions tous les formulaires nécessaires.

Je reste convaincu que la lenteur initiale était volontaire, qu'elle avait pour seule raison de justifier l'intervention d'un intermédiaire. La maigre rançon, bien certainement, devait être partagée. On m'a raconté qu'à Rome, ces professionnels de la médiation, qui proposent leur aide moyennant finances, composent une véritable armée. Si la lentocratie n'existait pas, ils seraient sans travail. D'où le mécanisme pervers du ralentissement volontaire...

Le fonctionnement du système de santé publique est un autre exemple de la lentocratie. Si une femme se découvre un nodule suspect au sein, elle doit attendre en moyenne deux mois avant de pouvoir subir une mammographie qui sera remboursée par la Sécurité sociale. On comprend que le plus souvent elle préfère réunir ses économies et se précipiter dans la première clinique privée, où on lui fera rapidement les examens nécessaires qui apaiseront ses inquiétudes. De façon significative, lorsque, au début de l'année 1996, on a mentionné mon nom comme éventuel ministre de la Santé, les questions qu'on m'a posées concernaient l'amélioration des hôpitaux privés et aucunement la façon dont j'aurais pu appliquer au sein des services publics les connaissances que j'avais acquises à l'étranger !

Le phénomène de la lentocratie, du temps perdu dans

les activités publiques de toutes sortes, touche, bien sûr, également le monde politique. Comme nous l'avons dit précédemment, c'est un temps bien rempli, mais dissipé. Ceux qui font partie d'un syndicat le savent sans doute, mais on le voit de manière plus flagrante encore si l'on observe le temps perdu par les politiciens. Aux sessions parlementaires, les orateurs parlent dans le vide, pendant que les rares députés présents lisent le journal ou font leur courrier. C'est de l'indifférence caractérisée mais c'est aussi, selon l'analyse de Bruno Manghi [3], la conséquence inéluctable de la structure du temps politique, lequel est émaillé d'ajournements, de retards, de congrès, de réunions ou de discussions entre factions adverses. Ce temps constamment dispersé ne peut obtenir ce qu'il s'exerce à promettre : des décisions, des législations efficaces. Du reste, n'est-ce pas une perversion du système démocratique quand, par crainte de briser le consensus, le temps se passe à éviter de faire des choix ? Les politiciens, tenaillés par la peur de mécontenter telle ou telle partie de leur électorat, esquivent toute prise de position réelle. Au bout du compte, ils encouragent le rêve d'un libérateur résolu, capable de déchaîner des événements révolutionnaires. N'oublions pas que les régimes totalitaires ont toujours pris leur essor de cette façon.

LA ROUTINE

Le temps dont nous disposons chaque jour est élastique : « les passions que nous vivons le dilatent, celles que nous inspirons le réduisent, et l'habitude le remplit », comme le disait Marcel Proust [4]. Toutefois, les habitudes n'ont pas pour seul effet de remplir nos journées, elles les scandent, les limitent. On peut dire, comme le sociologue Paolo Jedlowski, que le temps quotidien est jalonné d'obligations diverses, dont l'optimisation produit la routine [5]. De fait, nos journées se ressemblent et suivent un rythme bien défini. Mais cette répétition du même est-elle nécessairement négative ?

Il faut, comme le soutient le sociologue Christian Lalive d'Épinay, bien veiller à distinguer la vie quotidienne de la routine, équivalent domestique de la bureaucratie[6]. Le cours des jours est riche d'une infinité de petites choses auxquelles il faut prêter attention ; sinon, même le rituel du repas et du sexe s'enlise dans l'ennui. Rares sont les moments extraordinaires dans la vie. Il est donc d'autant plus important de rendre au temps ordinaire son ampleur et sa profondeur et de ne pas le laisser passer d'un œil indifférent. Cette revalorisation du présent est le contraire de la lentocratie, puisque c'est une lenteur choisie, destinée à permettre de mieux savourer chaque instant. Elle se distingue radicalement de la sclérose progressive engendrée par la routine qui fige quantité de gens dans un immobilisme mortel : « Ils se contentent de tuer le temps, en attendant que le temps les tue », disait dans sa manière cinglante Simone de Beauvoir[7].

Il arrive aussi que la routine devienne une sorte de liturgie : on « sanctifie » les habitudes qu'on célèbre jour après jour. On en oublie que les règles ne sont rien d'autre qu'un moyen de vivre mieux, et on s'oblige, sans plus de raison, à n'en pas changer. Prenons l'exemple de la vie conjugale avec ses lois non écrites. Un couple qui dure est capable de renégocier ses « contrats invisibles » et sait éviter le piège mortel de la routine. Or, dans certains mariages, la fixité des règles est telle que, si l'un des conjoints se risque à proposer un changement, apparemment anodin (une recette, l'heure du repas, la destination des vacances, sans parler des habitudes sexuelles), l'autre va refuser : « Pourquoi changer ? rétorque-t-il. Nous avons toujours fait comme ça... » Il est vrai que chacun de nous hérite des règles de son système familial d'origine et en établit de nouvelles, pour satisfaire ses besoins psychologiques profonds. Mais, souvent, sciemment ou non, nous les maintenons alors qu'elles ne sont plus nécessaires. C'est alors que nous risquons la paralysie.

AUX ORIGINES DE LA PARALYSIE

Les répétitifs

Le professeur qui me remplace de temps en temps à l'université est très apprécié par ses étudiants et beaucoup moins par ses collègues qui le trouvent un peu ennuyeux, alors que ses élèves le trouvent très clair. Il répète chaque année le même cours, en y prenant toujours le même plaisir. Comme les étudiants changent chaque année, il est irréprochable du point de vue pédagogique, même si d'autres enseignants s'efforcent d'approfondir et de varier leur enseignement et renouvellent sans cesse leur motivation personnelle et professionnelle.

On voit par là se dessiner deux conceptions fondamentalement différentes du rapport qui lie le temps et la mort. Certains philosophes, comme Martin Heidegger [8], ont fait du temps qui passe le témoin le plus explicite de notre destinée transitoire : le temps nous instruit de ce que nous devons tous mourir un jour. Et quel meilleur antidote à l'angoisse que de refaire toujours les mêmes choses, dans une dimension atemporelle ? Si rien ne change et si nous-mêmes nous ne changeons pas, c'est comme si le temps s'arrêtait : nous pouvons alors nourrir l'illusion que nous sommes immortels. Pourtant, c'est souvent l'effet inverse qui se produit : le refus du changement, l'immobilisme conduisent plutôt à l'enlisement ou à la mort par pétrification qu'à l'immortalité.

Bien entendu, cette réaction à la perspective de la mort affecte aussi les choix conjugaux, comme le prouve l'histoire de Charles et Christina. Marseillais d'origine, Charles a derrière lui un premier mariage raté dont il a eu trois enfants, aujourd'hui mariés. Ce sexagénaire encore pimpant occupe un poste important dans une multinationale et a épousé une de ses secrétaires, fasciné par sa beauté et sa fraîcheur, une

Suédoise de vingt ans plus jeune. Il attendait de Christina qu'elle continue son travail de secrétaire et, aussi, qu'elle s'occupe de lui à plein temps. De son côté, Christina, déçue par une histoire d'amour aussi tumultueuse que malheureuse, était impatiente de « se caser » avec un homme respectable et fortuné, et d'avoir des enfants. En somme, dans ce mariage, chacun s'attendait à recevoir beaucoup plus que ce que l'autre n'était prêt à donner. La discordance des attentes, le malentendu sur le rapport entre *donner* et *posséder*, étaient tout à fait inconscients ; ils ne sont venus au jour qu'au cours de la thérapie de couple, qu'ils ont entamée après cinq ans de crise.

Entre-temps, Christina n'était pas parvenue à mener à terme plusieurs grossesses, elle n'avait pas réussi non plus à imposer une union à égalité, échec inconcevable pour une femme d'Europe du Nord, élevée dans la parité des sexes et des générations. Divers problèmes gynécologiques s'étaient déclarés et elle alternait les crises de rage et les abattements dépressifs. Charles, pour sa part, s'était convaincu qu'il avait fait une grossière erreur : Christina, sa petite fée blonde et appétissante, s'était transformée, à l'entendre, en une affreuse sorcière, chagrine et coincée.

Progressivement, leur couple s'est enlisé. Tous deux sont déçus, irritables, insatisfaits ; mais ils se sont eux-mêmes enfermés dans cet immobilisme, dépensant toutes leurs énergies, depuis plusieurs années, à s'accuser l'un l'autre des pires maux. Au lieu de faire un pas vers l'autre, ils se raidissent, actionnent leurs systèmes de défense et évitent les conversations constructives. Voilà où en sont les choses, mais la thérapie est engagée et j'espère bien parvenir à faire évoluer la situation en travaillant précisément sur les espérances déçues du couple et sur ces règles matrimoniales que, de toute évidence, ils ont chacun héritées de leurs familles et de leurs cultures d'origine. Les illusions conjugales de ce genre, lorsqu'elles ne sont pas soumises à un travail de réflexion et repensées, amènent les couples à une lente paralysie. Pour l'heure, en effet, tout est cristallisé dans leur résistance au changement.

Les craintifs

Le changement est-il un risque ou un atout ? En Italie, pays où le désordre et la forte compétition obligent chacun à être inventif, c'est un atout. Même si, à y regarder de plus près, il semblerait qu'on s'y arrange plus qu'on ne change... Pour ma part, je suis parti à l'étranger – en Suisse, puis en Amérique – à la recherche de nouvelles idées et de nouvelles façons d'étudier la santé. Aux États-Unis, j'ai découvert l'idéologie du changement. Elle est si largement répandue, qu'on dit là-bas d'une personne qui ne cherche pas un nouveau travail tous les cinq ans qu'elle est peu mobile et peu créative. En Europe, au contraire, la stabilité professionnelle est encore considérée comme un avantage indiscutable. On y traque les emplois dont la sécurité est garantie, comme dans la fonction publique. Toutefois, les postes assurés à vie, de l'embauche jusqu'à la retraite, se font rares. Le nouveau mot d'ordre est *flexibilité*, non seulement dans le domaine professionnel, mais dans la vie en général. Nous devrons bientôt tous en finir avec la peur du changement et apprendre à voir dans nos futures mutations une chance d'évoluer. Autrement, notre peur risque de devenir un boulet et de nous faire couler.

Il faut, d'ailleurs, distinguer ceux qui redoutent le changement parce qu'ils refusent de renoncer à leurs habitudes bien établies et ceux qui souffrent d'une gêne secrète. J'ai ainsi connu deux jeunes femmes incapables d'aller de l'avant. Pour Mireille, le problème était délicat : elle ne pouvait aller aux toilettes s'il y avait une autre personne dans son appartement et, en particulier, un homme. Il lui était également impossible d'utiliser les toilettes publiques. Évidemment, elle ne partait jamais en voyage, puisqu'elle était « attachée » à ses propres toilettes, et ne pouvait envisager sérieusement la moindre histoire d'amour. Chez Camille, jolie brune de vingt-huit ans, souffrant de boulimie, les répercussions étaient du même ordre : elle avait dû renoncer à vivre avec son fiancé, parce que cette vie à deux aurait inévitablement révélé ses crises nocturnes où, pour apaiser sa faim, elle se levait et vidait son réfrigérateur, avant de s'obliger à tout vomir.

Ce sont des cas extrêmes, je l'admets, et si ces deux exemples sont féminins, c'est le fait du hasard. Car ce sont les hommes qui résistent le plus au changement et rendent ainsi souvent la vie de couple impossible. Nombre d'entre eux ne quittent le cocon maternel que pour quelques aventures sexuelles ; le cœur reste à la maison ou, éventuellement, au café avec les copains. Et puis, il y a les ascètes, qui ne peuvent imaginer rien d'autre qu'un lien transcendantal les unissant à leur divinité, les homosexuels rentrés, les vieux garçons à la personnalité ambiguë, les sportifs timides, inhibés avec les femmes mais capables d'une sociabilité de façade, bien en accord avec la vie d'un club sportif. Pour achever le tableau, citons encore ce type très répandu dont bien des femmes se plaignent : l'homme qui a peur de s'engager, vit avec le « syndrome de la corde au cou » et finit par se transformer en homme-anguille.

Les inhibés

Certaines personnes sont timides par nature ; d'autres sont inhibées ; d'autres encore sont affligées d'une réelle phobie sociale qui les empêche de jamais assumer leurs réalisations personnelles [9]. Aussi évitent-elles à tout prix de s'exposer et de prendre position. Mais quelle est l'origine de ce frein émotionnel ? En général, il faut invoquer un grave manque de confiance en soi et en son instinct, lequel est perçu comme une bête dangereuse qu'il faut absolument dompter.

C'est le cas de Sylvie, jeune fille de dix-huit ans, ravissante, intelligente, mais qui se contrôle trop. Elle se surveille constamment, et il ne se passe pas un quart d'heure sans qu'elle regarde sa montre. Elle fait à tel point attention à la nourriture que, sans être anorexique, il lui manque presque vingt kilos. Elle ne fume pas, ne boit pas, c'est une brillante étudiante et une nageuse passionnée. Je la rencontre pour la première fois lors d'un rendez-vous pris par sa mère, que je mets rapidement et gentiment à la porte, ce qui me vaut aussitôt la confiance de ma jeune patiente. Celle-ci se plaint d'ailleurs aussitôt de l'hyperanxiété de sa mère mais reconnaît ne pouvoir s'empêcher de reproduire son comportement. Elle est comme figée par cet excès de contrôle, qui fait obstacle à toute spontanéité. C'est comme si elle avait avalé une montre, en plus d'avoir assimilé le besoin de maîtrise de sa mère. Sylvie craint les plaisirs de la bonne chère, comme toutes les réactions sensorielles de son corps. De même qu'elle a réprimé son appétit alimentaire, elle retient aussi son appétit sexuel. Elle a un fiancé, Damien, assez bien accueilli par sa famille, à qui elle refuse aussi bien les gestes de tendresse que les attouchements plus poussés. Bien qu'elle n'ait personnellement jamais fait l'expérience de l'autoérotisme, elle se sent tenue par sa bonne éducation de donner du plaisir à son ami en le masturbant : elle considère que c'est son devoir. Damien lui demande d'avoir confiance et l'assure que les choses changeront, mais Sylvie est persuadée que c'est impossible et n'ose pas le lui dire, de peur de le blesser. C'est une enfant modèle, à laquelle on a inculqué l'obéissance et l'attention aux désirs d'autrui. Ce dévouement lui permet d'ignorer les messages de son corps et ses propres désirs, qui sont la part d'elle-même qui l'inquiète le plus.

Depuis un an, grâce aux séances hebdomadaire de psychothérapie, Sylvie a fait de grands progrès. Nous suivons une politique de petits pas en avant, à laquelle nous avons donné un nom : « S'accorder de petits plaisirs. » Sylvie a commencé à se montrer un peu plus hardie : excellente nageuse, elle a découvert qu'elle pouvait se risquer à des plongeons acrobatiques, alors qu'avant, elle était terrorisée à l'idée de se ridiculiser devant les autres. Pour les prochaines vacances, nous avons établi ensemble qu'elle demanderait à ses parents la permission d'aller rendre visite à une tante qui vit à Bordeaux, avec laquelle elle a justement noué une grande complicité autour des petits plaisirs de la vie, entente que, très vite, ses parents se sont employés à briser. Autrement dit, Sylvie est en train de conquérir progressivement le droit de désirer : elle a compris que le désir recèle une énergie vitale qui n'est dangereuse que dans certaines circonstances. L'éducation répressive qu'elle a reçue a comme mis un couvercle sur ses instincts. Elle n'a pas pu faire le « rodage » normal qui lui aurait permis de distinguer entre les pulsions qui sont acceptables et celles qui doivent être contenues. J'aide Sylvie à grandir et à s'affranchir de ses inhibitions, en accompagnant tout doucement ses progrès et en réactivant l'histoire naturelle de son désir.

Les oppositionnels

J'ai déjà eu l'occasion d'évoquer, dans *La Méchanceté* [10], ces personnes qui exercent leur malveillance en s'obstinant à dire non. Selon le sociologue Jean Baudrillard [11], ce goût de l'opposition est une pratique très raffinée du pouvoir, éventuellement de nature sadique. Mais ce n'est pas tant la violence de la répression qui nous intéresse ici que le mécanisme psychologique de l'opposition systématique. Les aigris entrent en conflit avec tout le monde, pour n'importe quelle raison. Ils préfèrent toujours être dans le camp adverse. Que cache ce comportement ? Parfois, le plaisir de l'affrontement, parfois, l'impossibilité de changer.

Je pense à Daniella qui est arrivée dans mon cabinet à quarante-huit ans, en pleine crise de désespoir, et qui s'en est trop vite échappée. Avant de partir, elle a parlé sans interruption pendant cinquante minutes, se déchargeant de tout ce qu'elle avait accumulé depuis des années. Mariée depuis plus de vingt ans, elle s'était toujours occupée de tout mais, depuis deux ans, Thierry, son mari, n'avait plus de travail, et les choses étaient encore pires. Déprimé, il passait ses journées au lit à regarder la télévision, attendant passivement que la situation change, comme par enchantement. Cette façon de réagir prouvait, une fois de plus, sa fragilité, sa dépendance et son égoïsme. Depuis qu'elle le connaissait, jamais Thierry n'avait fait quoi que ce soit pour ses enfants ou pour la maison. Lorsque Daniella, convalescente après un accident de voiture, avait dû rester couchée pendant deux semaines, il lui fallait se lever pour faire la cuisine alors qu'elle ne tenait même pas debout. En somme, Thierry avait toujours refusé de l'aider, même dans les cas d'urgence. C'était un parasite, un poids économique, qui, depuis son licenciement, vidait progressivement son compte en banque. Et cela faisait bien dix ans qu'ils n'avaient plus aucun rapport sexuel.

Mais pourquoi Daniella supporte-t-elle cette situation qui consume les quelques forces qui lui restent ? C'est son passé qui m'a permis de comprendre intuitivement la logique d'un comportement apparemment inexplicable. Daniella était d'origine sud-américaine et ses parents avaient dû s'exiler et abandonner tous leurs biens avant de trouver, en France, une terre d'accueil et d'obtenir le statut de réfugiés politiques. Était-il possible qu'elle taise quelque secret lié aux massacres de Santiago-du-Chili ou aux atrocités de l'exode, un événement douloureux, jamais formulé, jamais oublié, mais qui affectait sa vie présente ? Daniella me donnait l'impression de soigner d'anciennes blessures en s'occupant avec tant d'acharnement de son mari. Au cours de notre entretien, elle avait lâché : « Je ne peux pas le quitter, cela le détruirait. » Peut-être avait-elle projeté sur Thierry la part la plus fragile d'elle-même, celle qui avait mal supporté l'exil ? Au moment où je suggérais cette possibilité, Daniella a éclaté en sanglots, s'est levée précipitamment et a souhaité partir.

Elle est donc retournée à son enfer conjugal. J'aurais voulu l'accompagner et l'aider à changer, mais elle a préféré se servir de moi comme d'un « débarras » pour se délester un peu de ses peurs et de sa rancœur. Son mari s'opposait à une collaboration conjugale ; elle s'est opposée à une collaboration thérapeutique : ce double refus a enfermé leur couple dans une crise sans fin.

Les « paranos »

La lenteur peut être le fruit de la prudence, selon l'enseignement d'un très ancien proverbe : « Dans le doute, abstiens-toi. » Toutefois, cette approche positive, si elle est poussée à l'extrême, se change en méfiance systématique et interdit toute confiance. Le défiant tend à considérer l'autre comme un ennemi potentiel, susceptible de lui nuire, désireux de le dépouiller de ses biens ou de s'insinuer dans son espace privé, pour mieux l'exploiter. Pour se protéger, il se bloque et refuse d'emblée l'idée de faire confiance ou d'avoir un comportement confiant, souple et, assurément, plus productif. Cela va parfois jusqu'à la paranoïa. Le défiant développe alors des attitudes propres à renforcer son mode de penser déviant ou bien exerce une méfiance critique qui finit par paralyser la vie de l'autre.

C'est un peu ce qui est arrivé à Sarah et Paul, que je suis depuis une dizaine de séances pour résoudre un grave problème de couple. Sarah a quarante-cinq ans et se dit déçue sexuellement par son mari. Paul, cinquante et un ans, ne peut et ne veut plus satisfaire sa femme. Et pourtant, la situation initiale était exactement l'inverse.

Paul a rencontré Sarah il y a cinq ans, en Israël, alors qu'il venait tout juste de divorcer. Ils ont découvert, émerveillés, à quel point ils s'entendaient bien sexuellement. Sarah, qui est une femme sensuelle, a « dégelé » Paul et Paul s'est abandonné, stupéfait et ravi, au plaisir du sexe. Dans les années qui ont suivi, Paul a cherché à introduire de nouveaux excitants dans leur univers érotique : des cassettes pornographiques et des instruments sado-maso. Sarah, habituée à dominer et à commander, a eu l'impression que sa place était menacée. Elle a perçu ces nouvelles suggestions comme autant de tentatives pour l'humilier. De là sont

venus les premiers désaccords, les premiers refus, les premiers « non ». Voulant savoir ce que cachaient les pulsions
de son mari, Sarah a commencé à fouiller dans les tiroirs,
à enquêter sur sa vie. Paul, inévitablement, a eu le sentiment
qu'il était trahi et surveillé et l'a très mal supporté, notamment pour des raisons familiales : la tante qui l'avait élevé
était une femme austère dont il avait vu le mariage se briser
à cause de ce manque de souplesse. De son côté, Sarah a
quitté son pays, envoûtée par Paul, et se découvre liée à un
mari qui lui préfère les jeux sado-maso. Cette blessure narcissique l'amène à brandir la menace de l'amant, si la situation ne change pas. Paul réagit en se refusant à elle et jure
de tout quitter si elle continue à vouloir le commander. Ils
sont ainsi passés du désir aux menaces de représailles : la
déception a engendré la méfiance. C'est Sarah, il me semble,
qui est le maillon faible du couple, parce qu'elle se montre
incapable de renoncer à son rôle de *leader*, même dans
l'espace érotique. Le manque de souplesse et les reproches
continuels ont fini par rendre l'un et l'autre prisonniers du
passé. La défiance a renversé la confiance.

Les plaintifs

Lorsque j'étais étudiant, un de nos professeurs en psy-
chiatrie est arrivé, un jour, dans un costume anthracite, le
visage caché par une paire de lunettes noires. D'un ton
monocorde, sans la moindre expression sur le visage, il a
commencé à nous parler de la dépression, disant qu'elle se
caractérisait par certaines inhibitions psychomotrices, un
ralentissement de la parole et l'absence d'élan vital. Lui-
même était évidemment déprimé et n'aurait pu nous offrir
de meilleure illustration à son propos. Lorsque j'ai revu le
même enseignant six mois plus tard, il était dans un état
euphorique. Il a commencé le cours en brandissant le médicament qui, selon lui, l'avait miraculeusement guéri. En réalité, je crois qu'il était seulement passé à une phase
maniaque.

En dehors des vrais dépressifs, qui sont emprisonnés dans leur maladie, incapables de vivre et d'aimer, il y a des gens qui ont, plus que d'autres, le pouvoir de nous déprimer : ceux qui n'arrêtent pas de se plaindre, même quand toute leur vie baigne dans un soleil radieux ; ceux qui manquent toujours d'entrain, parlent sans discontinuer, sont désespérément prévisibles, et parviennent à étouffer la plus petite manifestation d'enthousiasme ou la moindre étincelle érotique. Ces personnes souffrent du « syndrome de Cassandre » et passent leur temps à faire de sinistres prophéties sur leur avenir et celui de leur entourage. Il n'est pas étonnant, dès lors, qu'elles emploient le peu d'énergie qui leur reste à assurer la réalisation de certains de leurs sombres présages.

En dépit de son nom, Lætitia est une plaintive plutôt qu'une vraie dépressive. Dans un exceptionnel moment d'enthousiasme, elle s'est mariée... avec un homme dont la libido et la vitalité étaient assez basses pour ne pas lui opposer de franche résistance. En quelques années, ce couple, pourtant jeune, a manqué d'énergie pour faire des enfants, pour préserver un cercle d'amis et pour se construire une vie un peu gaie et animée. Ils ont renoncé à leur seule passion, les voyages, pour un ensemble de raisons incompréhensibles. Ils se comportent à quarante ans comme des retraités de l'émotion et s'enfoncent, lentement, dans les sables mouvants de la mélancolie, tandis que leur activité sexuelle glisse, doucement, vers le point zéro.

Ceux qui se plaignent tout le temps sont souvent passés maîtres dans l'art raffiné des petites phrases meurtrières qui tuent les idées et empoisonnent l'esprit. Ces reparties assassines, qui déprécient toutes les situations, sont extrêmement dangereuses, pour la vie de couple en particulier. Quelques exemples ? « C'est trop cher ! » ; « Trop risqué ! » ; « Que diront les voisins ? » ; « Tu as passé l'âge ! » ; « C'est trop tard... » ; « Non, un point c'est tout. » Ces phrases du quotidien ont un pouvoir subtilement nihiliste, souvent plus destructeur que les franches méchancetés. Elles dépriment, compriment, immobilisent la vie à deux.

Nous avons vu les ingrédients de la mauvaise lenteur, qui paralyse la vie du couple et l'existence en général. Et pourtant, il suffirait de toutes petites choses pour créer de grands bouleversements. Konrad Lorenz, le célèbre observateur du monde animal, a donné au phénomène sur lequel je fonde mon espoir le nom d'« effet papillon », parce qu'une perturbation aussi minime, aussi légère que le battement d'aile d'un papillon peut s'amplifier avec le temps jusqu'à produire une tornade. L'histoire n'en a-t-elle pas donné l'exemple ? Si le nez de Cléopâtre avait été plus court, a dit Pascal, la face du monde en serait aujourd'hui changée. Un phénomène aussi éphémère que la passion d'Antoine pour la reine d'Égypte a fait basculer l'histoire de l'humanité, et ce fut Actium, où Octave triompha, parce que les trirèmes d'Antoine suivirent celles de Cléopâtre, alors même que la bataille n'était pas terminée.

Il faut bien en conclure qu'on ne doit négliger aucune perturbation, si faible soit-elle, dans la vie du couple ou dans la vie en général. Mais la mauvaise lenteur résiste à l'« effet papillon » et, généralement, préfère bloquer toute impulsion de changement, tant elle en redoute les dangers. Toutefois, il existe aussi une bonne lenteur, attentive au rythme intérieur et aux rythmes de l'autre, capable de percevoir intuitivement les changements et de les infléchir dans le sens de l'harmonie et du bonheur. C'est ce que nous verrons au prochain chapitre.

CHAPITRE IV

L'art de prendre son temps

Giorgio Abraham, psychiatre et sexologue, m'a raconté une petite histoire que je voudrais rapporter : « Un pilote de jet discute avec un chamelier. Le pilote se vante : " Avec mon avion, je peux traverser le désert en une demi-heure, alors que toi, avec ton chameau, il te faut plusieurs semaines. " Le flegmatique chamelier lui rétorque : " Et qu'est-ce que tu en fais de tout ce temps gagné ? " »

Bonne question, et je crois que c'est celle que toutes les sociétés occidentales se posent aujourd'hui. La frénésie use, stresse, rend malade – et pour quoi, au bout du compte ? Mieux vaut, peut-être, reprendre un peu le temps de vivre et gagner un peu de paix ; mieux vaut, peut-être, ralentir.

Nous y sommes d'ailleurs invités par le pays le plus fortement épris de vitesse supersonique, l'Amérique. Des millions de personnes y découvrent qu'il suffit de freiner la course au succès pour vivre, plus modestement, certes, mais plus heureux. La futurologue Faith Popcorn [1] l'avait prédit et sa prédiction est en train de se réaliser. En cinq ans, entre 1991 et 1996, vingt-cinq pour cent des Américains ont volontairement réduit leur revenu pour pouvoir redonner un peu d'oxygène à une vie asphyxiée par le travail et se consacrer à ce qu'ils aiment, leur famille ou des activités bénévoles [2]. C'est une tendance qui a déjà reçu un nom, le *Downshifting*, ce qui signifie la réduction des critères personnels en matière de carrière et de consommation. En termes philosophiques, c'est la vie simple, qui a déjà ses gourous avec José Dominguez et Vicky Robin. Leur livre *Your Money or Your Life*, ce qu'on pourrait traduire par « La bourse ou la vie », s'est vendu à plus de quatre cent mille exemplaires. Une foule de manuels se sont inspirés de cette recette et enseignent les moyens de se libérer de la hâte, de la frénésie de consommer, de l'angoisse de réussir. Comme l'indiquent leurs titres suggestifs, le but visé est bien d'aider à se simplifier la vie.

En Europe aussi, on observe la même aspiration à une existence simplifiée. Une récente enquête a montré que trente pour cent des habitants de la région parisienne avaient pour seul désir de vivre en province, où l'herbe est plus verte et le temps moins pressant [3]. Cette tendance est confirmée par les résultats de deux autres études qui montrent que cinquante pour cent des salariés préféreraient avoir plus de temps libre que plus d'argent [4] et que dix-neuf pour cent de ceux travaillant à temps plein seraient prêts à passer à temps partiel avec diminution de salaire [5]. C'est une véritable révolution culturelle ! Même chose en Italie où, selon un sondage réalisé auprès de mille personnes âgées entre vingt et cinquante ans, le temps libre était considéré comme un privilège dans quatre-vingts pour cent des réponses données [6] : pour l'obtenir, trente-neuf pour cent des Italiens interrogés étaient prêts à renoncer à leur carrière et vingt-deux pour cent à faire un sacrifice financier [7].

Et ce n'est pas tout. Un congrès a même été organisé sur le thème de la lenteur, avec pour titre évocateur : « L'univers a du temps à perdre [8]. » Les défenseurs de la *slow life* y ont fait l'éloge de la vie calme. Parmi eux, un ancien professeur de littérature, aujourd'hui « paisible retraité » et fervent adepte de la lenteur quotidienne, estimait que le problème ne se posait pas seulement au travail, mais aussi au lit... De fait, le sexe est également tombé sous la juridiction d'un temps consumériste : les stratégies amoureuses ne sont guère plus élaborées que la mécanique des films pornographiques, elles veulent « tout, tout de suite ».

Mieux vaut donc vivre lentement, pour retrouver les plaisirs du corps et de l'esprit, mais aussi, comme nous l'avons vu, parce que l'excès d'activité bascule facilement dans son contraire, la complète immobilité. Ce que je préconise, dans ces conditions, c'est une lenteur créative visant à permettre une production plus rapide et tout autant créative. Comment y parvenir ? En adoptant une lenteur sélective suivant les temps et les lieux. On peut très bien alterner les moments de trêve indulgente et les passages en accéléré. Dans cette formule, la lenteur ne peut plus être comparée au diesel, elle est l'une des vitesses du moteur de la vie. Je m'explique : on peut choisir de vivre plus paisiblement en variant les rythmes de vie (au travail, il est possible de mélanger les moments de frénésie et les pauses consacrées à la réflexion) ou bien en sélectionnant des temps variables suivant la diversité des lieux (preste au travail, mais tranquille à la plage ou entre les draps). Le biologiste Jean Rostand avait fait preuve d'une grande sagacité en déclarant : « J'aime infiniment perdre mon temps, pourvu que ce soit avec moi-même [9]. »

La lenteur offre, en effet, une voie à la liberté intérieure, en permettant de choisir le rythme le plus approprié aux différents moments de l'existence. Ce choix de la « bonne vitesse » est d'une grande importance dans la vie professionnelle, dans les loisirs et dans le domaine des émotions.

Les aiguilles folles de l'emploi

Il se nomme Jeffrey Stiegler et son nom a fait grand bruit. Directeur général, à quarante-neuf ans, du colosse American Express, pour un salaire annuel de quatre millions de dollars, Stiegler est parvenu très vite au sommet du pouvoir, à la suite d'une brillante carrière. Et puis, il a arrêté les aiguilles du temps : « Je veux travailler à un rythme plus humain, a-t-il déclaré, et consacrer plus de temps à mes quatre enfants. » Et il a démissionné [10]. Après des années de travail de plus de douze heures par jour, après d'innombrables samedis et dimanches sacrifiés, après trois divorces, Stiegler avait de quoi méditer. De fait, la vie privée réclame de l'attention et du temps, elle ne peut être reléguée à l'arrière-plan pour cause d'emploi du temps surchargé. Et l'exemple de Stiegler n'est pas unique. Daniel Robert, fondateur de Robert & Partner, inventeur de « Bison futé » et du « Tu t'es vu quand t'as bu ? », a tout quitté en 1997 pour devenir Monsieur Personne, tandis que Claude Posternak, autre superman de la pub, a choisi de « cocooner » dans le Gers, en sirotant son armagnac, primé par un Cep d'or.

Dans l'ensemble, ce sont surtout les femmes qui tiennent le plus à arrêter la course des aiguilles de la montre. Dans le mince bataillon de celles qui sont parvenues à faire carrière, on observe déjà quelques défections. En voici un exemple qui fait honneur à toutes les autres : directrice du marketing de Coca-Cola en Grande-Bretagne, Pat Hughes avait à trente-trois ans seulement tout ce qu'elle pouvait désirer, sauf le temps. Dans sa lettre de démission, elle a écrit : « Je veux me marier et avoir des enfants, cela passe avant ma carrière. » Faut-il y voir une invitation à retourner au foyer et à abandonner aux hommes les coupoles du pouvoir ? Je ne le crois pas, mais il n'est pas impossible que, dans les prochaines années, le salut vienne des femmes, plus sensibles aux rythmes biologiques qu'à l'aiguillon du succès à tout prix.

Vers la flexibilité

Travailler moins pour travailler tous : ce slogan n'est plus une utopie. Souvenons-nous de nos grands-parents : ils vivaient en moyenne trois cent mille heures sur lesquelles cent vingt mille étaient consacrées au travail. Nous vivons aujourd'hui en moyenne sept cent mille heures et travaillons soixante-dix mille heures. Le temps libre d'une vie est aujourd'hui trois fois plus long que le temps de travail et il a triplé par rapport au début du siècle [11]. Tout porte donc à croire que nos enfants auront peut-être une vie où la part du travail sera réduite à quarante mille heures [12].

Il est vrai que dans une économie postmarchande nous devrions tous travailler moins, comme le suggère Rifkin. En effet, le *reengineering*, c'est-à-dire l'allégement des structures d'entreprise grâce aux nouvelles technologies et à toutes les stratégies de *time and labor-saving* qui économisent le temps et la force de travail, s'accompagne d'une accélération et d'une augmentation de la production. Celle-ci, toutefois, ne crée pas d'emplois : elle en élimine. On voit, d'une part, une élite de technocrates, qui travaillent énormément et gagnent énormément d'argent et, d'autre part, une masse croissante de personnes chassées par les nouvelles technologies, sous-employées ou sans emploi. La solution que propose Rifkin est de rééquilibrer l'ensemble de la situation, par la réduction du temps de travail et la redéfinition d'un nouveau contrat social [13]. En France, l'idée fait aussi son chemin, bien accueillie par la population, les syndicalistes et la classe politique. Le protocole signé en 1995 entre le CNPF et les organisations syndicales, exception faite de la CGT, va en ce sens, et on sait que la gauche, victorieuse aux dernières élections législatives, a fait de la semaine de trente-cinq heures l'un de ses objectifs prioritaires. Certains, comme Pierre Larrouturou, consultant français auprès de la société Arthur Andersen [14], vont même plus loin, préconisant le passage à la semaine de quatre jours et l'accentuation de la flexibilité horaire.

Et certaines entreprises, comme Hewlett-Packard et Digital Equipment, ont d'ores et déjà adopté les « semaines abrégées ». La direction grenobloise de Hewlett-Packard a misé sur la flexibilité des horaires : l'usine fonctionne sept jours sur sept, sans interruption, les employés travaillant soit en poste de nuit, soit en poste d'après-midi, soit en poste de matin. L'horaire hebdomadaire a été diminué de six heures en moyenne, sans baisse de salaire, ce qui n'a pas empêché la production de tripler ! Chez Digital Equipment, le passage à la semaine de travail de quatre jours s'est accompagné d'une réduction de salaire d'environ sept pour cent et a permis de sauver une centaine d'emplois menacés [15]. D'autres expériences similaires sont en cours dans toute l'Europe. À l'usine Volkswagen de Wolsburg en Allemagne, un accord historique a été conclu dès 1984, qui a réduit la durée du temps de travail hebdomadaire à 26,2 heures avec une réduction de douze pour cent seulement des salaires. En Allemagne encore, la multinationale Drägerwerk a adopté un plan de flexibilité qui prévoit cinquante types d'horaires différents (et il y en a encore d'autres qui organisent la distribution des heures en contrats individuels). Au Danemark, dans la petite aciérie de Danvalve, on travaille en cycle continu avec des possibilités variées : certains sont employés de nuit pendant la semaine, d'autres seulement le week-end, d'autres encore choisissent au coup par coup. En Italie, bon nombre d'entreprises ont introduit la possibilité de travailler seulement le samedi et le dimanche, avec des contrats *ad hoc*, comme le fabricant de pneus Firestone à Bari ou Sony Italia à Rovereto.

Travailler moins, la solution n'est pas seulement avantageuse pour ceux qui travaillent en usine. La diffusion du *Temporary Management* – « location » de managers pour une année ou plus, engagés pour des missions spéciales – le prouve. Et aussi la demande croissante aux niveaux de direction les plus élevés de primes versées non plus en produits de luxe mais en années sabbatiques. Et puis, il y a encore l'expérience des « banques d'heures », ces réserves d'heures supplémentaires, payées non pas en argent mais en journées de repos.

Les nombreux néologismes composés à partir du mot banque ne sont pas apparus par hasard : le temps est devenu un bien si précieux qu'il vaut plus qu'un bijou, qu'un titre en Bourse ou qu'une action. C'est ainsi que sont nées les banques du temps. La première banque de ce genre a été fondée en 1991 à Parme, par Giuliana Rossi, une ancienne infirmière ; on en compte plusieurs aujourd'hui en Italie. L'idée de base est simple : quiconque dispose d'une compétence ou d'une facilité particulière (pour faire du baby-sitting, du jardinage ou promener les chiens) la dépose à la banque. En retour, il peut « prélever » le même nombre d'heures dans une autre activité de son choix [16]. C'est une formule qui connaît un grand succès, inutile de le souligner, auprès des femmes. Elle fait son chemin depuis déjà plusieurs années, surtout en Europe du Nord.

Le choix du télétravail

Économiser le temps perdu dans les transports et gagner des heures précieuses, c'est l'idée de base du télétravail, qui se diffuse à toute vitesse. Les entreprises l'encouragent aussi, parce qu'elles ont découvert dans ce système une manière de réduire les coûts de structure et les frais de bureau, tout en accroissant leur productivité. Aux États-Unis, on compte près de dix millions de personnes qui ont emporté leur bureau à la maison (avec fax, modem et ordinateur) et leur nombre ne peut qu'augmenter. Selon certaines études, d'ici l'an 2000, vingt pour cent de la force de travail américaine sera exercée, au moins partiellement, depuis le domicile privé. Si l'Europe en est encore à la préhistoire, le Canada ne perd pas de temps : qu'on pense à IBM Toronto qui, en 1995, a fait fermer l'entreprise située en plein centre-ville et renvoyer les techniciens et la masse des employés à la maison, où ils accomplissent désormais leurs journées de travail. Les architectes s'activent déjà à construire des habitations hypermodernes, télématiques, câblées. Des villages complets conçus spécialement pour les télétravailleurs s'étendent à la périphérie immédiate de Toronto. Les maisons y sont intelligentes, conçues comme de vrais centres de commande avec des systèmes de vidéoconférence, de téléphones vidéo, raccordés aux lignes de téléphone ISDN (Integrated Systems Digital Network), lignes digitales-numériques qui permettent d'envoyer et de recevoir des messages télévisuels interactifs.

On ne saurait mieux illustrer comment la bonne rapidité peut se mettre au service de la bonne lenteur : les télétravailleurs parviendront sans aucun doute à éradiquer le stress et à organiser leurs journées télématiques suivant des rythmes plus humains.

LA LENTEUR AU TRAVAIL

Nous avons vu que l'envie de lenteur se diffuse dans nos sociétés, pour redonner un peu d'air à des journées devenues irrespirables. Dans certaines professions, on a déjà adopté des rythmes de travail plus lents, et qui permettent d'atteindre de meilleurs résultats.

Le temps de comprendre

La lenteur professionnelle s'insinue parfois dans les lieux les plus inattendus, qui en deviennent, de ce fait, créatifs. Par exemple, la salle d'attente du médecin. À l'occasion d'un colloque à Paris dont le titre était justement « La salle d'attente [17] », on a fait remarquer que l'antichambre du dentiste, mais aussi du gynécologue ou du pédopsychiatre, espace apparemment « neutre » et inerte, est en réalité animé des nombreuses vibrations qu'émettent les patients. Loin de se réduire à quelques minutes stériles, ces moments sont remplis d'expectative, d'échanges et d'événements thérapeutiques (même s'ils sont chargés d'angoisse).

Sans doute, lorsque le malade arrive face au médecin, sa guérison n'est-elle pas immédiate, surtout quand on recourt à l'homéopathie ou à d'autres médecines parallèles qui exigent des temps plus longs pour le traitement.

Pour ce qui concerne les troubles psychologiques, il est souvent imprudent d'exprimer un jugement quand on n'a vu le patient qu'une fois : même le plus intuitif des psychanalystes peut se tromper. En outre, celui qui vient consulter un psychothérapeute a le plus souvent un besoin urgent d'être aidé, et il vaut mieux le revoir une nouvelle fois pour vérifier sa capacité à supporter la frustration et à se prêter à une lente introspection, qui est certainement préférable à la quête d'un miracle thérapeutique express, lequel est totalement impossible. Il arrive aussi que le premier contact soit marqué par une attitude défensive. C'est l'expression d'une grande méfiance vis-à-vis du thérapeute, et ce n'est que progressivement qu'on parvient à approfondir les vraies raisons qui ont amené à consulter.

Même dans les consultations strictement médicales, prendre le temps de comprendre et d'aller au-delà des apparences et des symptômes permet de découvrir la vérité. Le cas de Claudine en est une excellente preuve. À plus de soixante ans, celle-ci est, pour la cinquième fois, hospitalisée pour un œdème pulmonaire aigu. Elle est, pourtant, régulièrement suivie depuis la survenue de la première crise et correctement soignée. En dehors d'une insuffisance cardiaque qui fait d'elle une patiente à risque, les médecins ne parviennent pas à comprendre l'apparition récurrente de ces crises. Tout s'éclaire, cependant, dès qu'on passe de l'observation médicale à l'examen de son style de vie. Le responsable, bien involontaire, n'est autre que son mari. Dans ce couple de retraités très actifs, Claudine s'occupait du ménage tandis qu'Albert se consacrait au grand jardin et au potager de la maison de campagne où ils s'étaient installés. Tout allait bien jusqu'au jour où celui-ci a glissé et s'est cassé la jambe, ce qui l'a forcé à rester immobilisé pendant un certain temps. Les chambres étant au premier étage, Claudine a dû répondre aux demandes de son mari, que le repos forcé rendait autoritaire et irritable. Elle a monté et descendu les escaliers plusieurs dizaines de fois par jour, tant et si bien qu'elle est tombée malade. Ces gestes, elle les faisait de bon cœur, pour aider à son mari, mais son cœur, au sens musculaire cette fois, l'a mal supporté.

Comme le montre cette histoire, dans bien des protocoles de soin, la thérapie a tendance à trop se concentrer sur l'individu et à négliger la réalité des interactions conjugales. Le partenaire peut être un complice, une victime ou bien un allié dans la maladie comme dans la guérison. Prenons l'exemple des troubles psychosomatiques les plus caractéristiques : les gastrites, les céphalées, les ulcères et certains eczémas. Ceux-ci cachent parfois un mariage en crise. De la même façon, on ne peut traquer l'origine de certaines maladies sexuellement transmissibles sans interroger le conjoint ou le soumettre à des examens, car la maladie est peut-être la marque d'un adultère et d'un secret inavouable. Dans d'autres cas, le problème physique est soigné, mais finit par provoquer plus de dommages chez le partenaire qu'il n'en a causé au malade. Ainsi, lorsqu'une femme a été opérée d'une tumeur du sein, il est important de suivre également le mari. Autrement, angoissé par la santé de sa femme, celui-ci va s'improviser infirmier, oubliant tout de la composante érotique de la vie de couple. Même dans les régimes, on sous-évalue trop souvent le rôle du compagnon : il y a des maris insupportables qui provoquent des amaigrissements imprévus, et des amoureux qui font maigrir leur partenaire en réussissant un régime involontaire qu'aucun médecin n'avait obtenu. Le cas contraire peut aussi se produire, le conjoint s'opposant à la réussite d'un régime (ou à la guérison) pour maintenir son contrôle sur l'autre. Ces diaboliques stratégies conjugales peuvent toujours être découvertes, avec un peu de patience.

La faculté de temporiser

Il ne s'agit pas de l'inhibition de la décision que nous évoquions au chapitre précédent, mais de cette aptitude très rare qui consiste à savoir différer. Ce choix stratégique a été illustré par un exemple historique célèbre, celui du général romain Fabius Maximus, dit « le temporisateur », qui chercha à faire reculer Hannibal par d'incessantes guérillas. De nos jours encore, à Genève, ville des diplomates, on connaît bien le moyen de temporiser par des stratégies subtiles, ce qui permet parfois d'obtenir de meilleurs résultats que l'intimidation ou la hâte de conclure.

La patience s'apprend en fait dès le berceau. Selon le psychanalyste Edmond Bergler [18], elle se forme lors des premières expériences de séparation avec la mère, au moment où le nouveau-né surmonte son rêve de fusion. La psychanalyste Marcelle Spira [19] ajoute que les moments qui séparent deux tétées doivent être considérés comme la première perception inconsciente du temps. Il importe alors que l'allaitement soit suffisamment régulier pour permettre à l'enfant d'attendre avec une confiance relative. Autrement dit, on n'est capable de temporiser que s'il y a eu une stabilisation progressive du temps intérieur et subjectif, en accord avec une réalité extérieure fiable. Nos grands diplomates ont probablement été des enfants bien allaités...

Approfondir et méditer

Nous avons déjà parlé de l'éclair de l'intuition et de la prise rapide de décision. Entendons-nous : l'intelligence n'est pas *seulement* rapide. Il existe aussi une dimension plus lente, savante, celle de l'approfondissement, de l'étude, de la lecture, pour laisser décanter, comme un bon vin, les notions et les pensées. De même qu'il faut du temps pour découvrir certaines personnes, certains livres ne peuvent être lus à toute vitesse.

Pour penser et méditer, il faut des rythmes homéopathiques. Cet art était presque oublié, mais il revient en force avec le mouvement *New Age*. Le temps lent a ensorcelé l'Amérique et il a trouvé, comme de juste, son prophète à la mode, Deepak Chopra, l'endocrinologue indien naturalisé américain, converti à l'antique médecine ayurvédique et à la méditation. Il est à présent très demandé par les VIP. De l'actrice Demi Moore à la styliste Donna Karan, en passant par Michael Jackson, tous rêvent de suivre son initiation spirituelle (et sont prêts à payer très cher pour être initiés). Son livre, le mince cahier des *Sept Lois spirituelles du succès*, est resté plusieurs mois en tête des meilleures ventes, avec plus de huit cent mille exemplaires vendus au total. Je cite la quatrième de ses lois, celle qu'il a baptisée loi « de l'effort minimal » : « L'homme qui sait tirer parti des forces de l'harmonie obtient ce qu'il désire sans effort [20]. » Autrement dit, mettez-vous à l'aise et laissez faire votre esprit.

Ce que propose Chopra, du reste, n'est rien d'autre que la version moderne d'une sagesse millénaire, la sagesse orientale. Il l'a très bien résumée dans l'histoire du roi chinois qui demande à Chuang-Tzu, le plus excellent peintre chinois, de réaliser un de ses fameux dessins de crabes. Le peintre consent, mais demande un délai de cinq ans. Le roi revient à la date dite et s'aperçoit que le dessin n'est pas même commencé. Chuang-Tzu demande de nouveau cinq ans, le roi patiente de nouveau, et revient. Alors seulement, Chuang-Tzu prend son pinceau et dessine, en un instant, le crabe le plus beau qu'on ait jamais vu.

ÉLOGE DE L'OISIVETÉ

Qui n'a gardé le souvenir des années d'austérité, de ces fameux dimanches où il était interdit de prendre la voiture ? On redécouvrait des paysages qui, à force de défiler derrière les vitres de la voiture, avaient presque fini par devenir invisibles. On les trouvait différents, fascinants, tout entiers à explorer. Les théoriciens du voyage *slow* l'ont bien compris qui prédisent l'abandon de la voiture au profit de vacances en péniche sur les canaux français et de saines excursions au Népal ou sur les collines autour de la maison. Pourtant, la plupart d'entre nous se sentent encore obligés de « remplir » leur temps libre, vacances comprises.

C'est probablement dû au fait que, dans la morale puritaine, le temps du travail est considéré comme « bon » alors qu'il y a péril dans l'oisiveté. De celle-ci, on disait autrefois qu'elle était la mère de tous les vices. C'est sans doute pour le prouver, ironise le sociologue Domenico De Masi, que les managers qui ne savent pas quoi faire organisent des réunions. Lorsqu'elles prennent fin sur les coups de cinq heures du soir, ils ont une excuse toute trouvée pour rester au bureau au-delà de l'horaire normal : en réalité, les heures supplémentaires sont totalement superflues ! Du reste, conclut avec sarcasme le même sociologue, le manager qui arrive au bureau tôt le matin et en sort à dix heures du soir, qui est d'autant plus content qu'il a beaucoup travaillé, n'a plus rien à faire à la maison, puisqu'il ne peut même plus être sûr de l'état civil de ses enfants [21]. Malgré les affirmations de De Masi annonçant une providentielle « civilisation de l'oisiveté [22] », la frénésie continue de nous saisir même en vacances. Et on voit, alors, les *workalcoholics*, les accros du travail et des heures supplémentaires, devenir des accros de l'action...

Tous les week-ends, ils foncent en voiture pour un nouveau plein d'action ; ils organisent les activités sportives et les sorties culturelles de leurs parents et de leurs amis ; ils font la cuisine pour vingt ; ils se lèvent tôt pour ne pas manquer une excursion. Le syndrome du week-end est seulement plus long au mois d'août. Je reste toujours aussi déconcerté au souvenir de certains étés passés en Méditerranée, à bord de yachts qui levaient l'ancre à Saint-Tropez pour régater jusqu'à Cannes ou Antibes. En une heure, l'objectif était atteint et il restait à « remplir » le reste de la journée, à partager entre voiliers les petits plats et les apéritifs. Bien entendu, on retrouvait à l'arrivée les mêmes bateaux qu'au départ. Et on y avait gagné une conjonctivite, à force de plonger dans l'eau pleine de kérosène ! Mieux vaut assurément la douceur du *farniente* qui n'est pas tant du temps perdu que du temps gagné. Mieux vaut opter pour des vacances *slow*, qui nous épargnent l'angoisse de devoir organiser nos journées et nous offrent la chance de partir à la découverte de nous-mêmes et des personnes qui nous sont chères.

L'importance de la sieste

Le rapport à la nourriture, le plaisir de manger, doivent aussi être pondérés par le calme. C'est ce que recommande l'association Slow Food, née en 1989, qui compte déjà soixante mille membres dans trente-cinq pays. Son président, Carlo Petrini, expose ainsi sa philosophie : il faut sauver les cuisines de terroir et le goût de la convivialité, savoir rester ensemble à table, sans se presser (et sans oublier le rite de la sieste après le déjeuner, qui commence à être négligé). Tout le contraire, en somme, du *fast-food* et du sandwich qu'on mange debout ! L'escargot, symbole de cette association, a fait tant de chemin qu'il diffuse désormais sa philosophie dans une revue appelée *Slow*, qui donne la parole à la gourmandise et à la culture de la lenteur. Le premier numéro, bien évidemment, était consacré à l'escargot, à sa saveur et à sa valeur de symbole. Le deuxième numéro traite du repos : c'est le lit raconté par des grands designers, le sommeil à travers un extrait d'Italo Calvino et l'Espagne à l'heure de la sieste.

Le monde du *fitness* en est, lui aussi, venu à recommander plus de lenteur. Si les années quatre-vingt ont consacré le règne du *jogging* et de l'épuisement aérobique, on redécouvre aujourd'hui les mouvements plus doux. On va aux séances de *stretching* qui étirent les muscles au lieu de les développer, aux cours de gymnastique douce ou de gymnastique alternative, avec, par exemple, la méthode Feldenkreis. On assiste aussi au succès des techniques de relaxation, la biodanse et le *rebirth*. On redécouvre le plaisir des massages (le *shiatsu* en tête). Les plus fortunés ont un *personal trainer*, qui les suit à domicile et leur prépare un programme sur mesure.

Pour en rester aux plaisirs du corps, les années quatre-vingt-dix marquent la redécouverte de la volupté parfumée du bain et la perte de vitesse des douches rapides. La salle de bains est devenue l'un des espaces les plus aménagés et les plus agréables de la maison. Peut-être faut-il y voir le désir de renouer avec les fastes des thermes antiques ou les délices de s'immerger dans le lait d'ânesse, comme Cléopâtre, ou dans le champagne, comme Sarah Bernhardt [23].

LE LONG CHEMIN DE L'INTIMITÉ

C'est une nuit d'été dans un château sur les bords de Seine. Deux hommes se rencontrent. Le premier est un chevalier du XVIIIᵉ siècle qui a secrètement passé une longue nuit sensuelle dans les bras de sa maîtresse. Le second est un brillant Parisien d'aujourd'hui qui a « dragué » une jeune femme rencontrée lors d'un congrès et qui a mimé avec elle une passe rapide au bord de la piscine. Deux hommes qui ont deux siècles d'écart dans une rencontre intemporelle et ironique : c'est le finale de *La Lenteur* de Milan Kundera [24]. L'écrivain tchèque y condamne la frénésie de notre époque. Le Parisien intrépide, qui veut peut-être oublier ces heures gaspillées, éprouve une soif inextinguible de vitesse et file en moto, tandis que le langoureux chevalier monte en carrosse « pour lentement, rêveusement, se faire porter vers Paris ». Où sont donc passés les oisifs d'alors ? se demande Kundera. N'y a-t-il plus personne qui sache goûter le charme de l'insouciance et du plaisir ? La leçon sensuelle du chevalier vaut encore aujourd'hui. L'amour, comme tous les sentiments positifs, veut de la lenteur pour grandir et s'épanouir.

Sur la même longueur d'ondes

Il faut du temps pour être à l'écoute de ses propres désirs et, plus encore, des désirs de l'autre. Ce peut être l'homme ou la femme dont on est amoureux, mais aussi un ami ou une personne qui nous intéresse et avec laquelle nous voulons entrer en syntonie. Ou mieux, en intimité. L'intimité, c'est la faculté de partager avec une personne qui

compte des choses importantes et secrètes. C'est un sentiment exclusif qui naît peu à peu et se cache de la foule.
Pour construire une relation intime, d'amour ou d'amitié, il
faut de la patience, il faut savoir attendre le bon moment,
tolérer les inévitables crises passagères et saisir, après un
conflit ou une commotion affective, le moment opportun
pour rétablir le contact. Ce sont des rythmes lents et fragiles
qui font la base de l'amitié. L'amour passionnel est pressé,
il consume le cœur et les jours car, suivant les mots de La
Bruyère, « le temps, qui fortifie les amitiés, affaiblit
l'amour [25] ».

Comment mieux définir l'amitié, ce grand sentiment de
la lenteur ? Il faut le distinguer de sentiments similaires qui
sont sujets à d'autres rythmes. La sympathie, par exemple,
présente un caractère d'empathie fugitif et non verbal qui
peut se dissoudre à l'épreuve des faits. L'amitié, en
revanche, est une relation profonde qui prend racine dans
le temps [26]. N'importe qui peut être sympathique, même un
inconnu ou quelqu'un qu'on voit seulement sur un écran de
télévision, mais l'amitié, elle, exige d'être réciproque. Elle a
pour autre composante sa gratuité, ce qui la place aux anti-
podes de toutes les formes intéressées et mercenaires
d'échanges qu'on met au catalogue des rapports intimes
alors qu'ils ne sont rien d'autre que des relations d'affaires.
Le livre de Dale Carnegie *L'Art de se faire des amis* [27] reflète
cette vision fonctionnelle qui ne conserve rien de l'authen-
ticité de l'amitié.

Il nous reste, enfin, à distinguer le sentiment de l'amitié
de celui qui se forme lentement dans le temps : l'habitude
de partager sur un mode répétitif et rassurant les mêmes
expériences. Les collègues qu'on retrouve au café pour res-
sasser les mêmes discours, les partenaires de golf ou de tennis sont plutôt des « statues » réconfortantes que des personnages vifs et stimulants. L'amitié est aussi différente de
la solidarité, de la fraternité d'armes ou du militantisme
politique. Ces formes nobles d'association face à un ennemi

commun (le féminisme des années soixante-dix en est un exemple) ne créent pas de véritable intimité amicale.

Ainsi guérit la blessure d'amour

Le temps lent, nous l'avons vu, n'est pas obligatoire en amour. Il y a les grands coups de foudre, les intuitions sentimentales, les passions immenses qui consument les émotions et les journées. Toutefois, la lenteur est importante pour récupérer après des histoires qui se sont mal terminées et pour guérir des blessures d'amour.

Chantal, trente-trois ans, est une belle fille qui n'arrive pas à se marier. Les hommes tombent sous son charme mais redoutent son intelligence, son indépendance financière et son assurance. Elle a un père suisse et une mère américaine, dont elle a peut-être hérité sa détermination et son sens pratique. Il y a six ans, après une grosse déception sentimentale, elle a décidé de « manager » sa carrière et sa vie affective. C'est comme si Chantal, blessée et déçue, avait renoncé à l'attitude féminine « concave réceptive », pour se protéger de sa vulnérabilité. Elle est devenue ambitieuse, efficace et, sans doute, exagérément agressive. C'est ce que pensent les hommes qui l'approchent et qui reculent plutôt que de s'attacher à une femme si occupée. Mais où se situe le traumatisme sentimental de Chantal ? Elle était tombée amoureuse d'un homme qu'elle voulait épouser mais qui hésitait entre elle et une autre. Et c'est l'autre qu'il a choisie. Chantal n'a pas réussi à surmonter le drame et pleure encore quand elle en parle. Elle n'a pas coupé affectivement et n'a pas accompli le deuil du lien passé. En perdant la personne aimée, elle a comme perdu la capacité d'aimer. Dans ce genre de cas, le travail du thérapeute consiste à aider le patient qui souffre à se « détacher » de son affect, pour être de nouveau en mesure de l'investir, plus tard, dans une autre rencontre. Il faut du temps pour cela, aussi.

Chantal craint, en outre, l'intimité partagée : si elle plonge, elle veut être sûre de gagner l'autre rive – autrement, elle renonce. Mais, dans la vie, il faut savoir oser, pour ne pas devenir des retraités du cœur. Il n'y a pas du péril seulement à être téméraire, il y en a aussi à montrer trop de prudence. Chantal sera à nouveau disponible pour l'amour quand elle ne le verra plus comme un risque, mais comme une chance. La lenteur est essentielle : de même qu'on ne peut accélérer la guérison d'une blessure, on doit accepter le temps du détachement et du deuil dans les sentiments.

Les rêves et les nuages

Il y a, enfin, dans la bonne lenteur, un temps pour rêver. Le poème « Paysage [28] » de Baudelaire décrit la beauté des nuages qui montent au cerveau comme une boisson enivrante. Gaston Bachelard, dans son livre *L'Air et les songes : essai sur l'imagination du mouvement*, montre la multiplicité des fantaisies qu'évoquent les nuages, du cumulus gris et lourd, menace de pluie, au souffle léger et transparent qui invite l'esprit à s'élever [29]. Ce n'est pas toujours un défaut d'avoir la tête dans les nuages : c'est un voyage les yeux ouverts, une évasion loin du quotidien, qui enchaîne à la banalité. Ceux qui rêvent seulement la nuit ont une vie moins riche que ceux qui s'accordent les plaisirs de l'imagination et savent rêver les yeux ouverts. Et vous, depuis quand ne vous êtes-vous pas allongé sur une plage ou dans un pré, pour regarder passer les nuages ?

DEUXIÈME PARTIE

LA CLINIQUE DU TEMPS

CHAPITRE V

Naissance et mort du désir

Au risque de sembler énoncer une évidence, rappelons que l'attente est à l'origine du désir. « L'identité fatale de l'amoureux n'est rien d'autre que : *je suis celui qui attend* », écrivait le sémiologue Roland Barthes [1]. L'attente a toutes sortes de colorations : elle peut être lente, pénible, aussi insoutenable que la décrit Dino Buzzati dans *Le Désert des Tartares* [2] ; elle peut être lourde d'anxiété comme dans la salle d'attente du médecin ; elle peut, dans le cas d'une maladie grave ou incurable, être chargée d'angoisse quand, par exemple, un séropositif guette les premiers symptômes liés au développement du sida.

Au-delà de la frustration qu'elle contient, l'attente peut être définie comme un temps interstitiel : elle se situe dans les failles qui séparent un événement d'un autre [3]. Attendre, c'est orienter sa pensée vers la personne qui doit arriver ou la chose qui tarde à se produire. On attend que le train entre en gare ; on attend l'arrivée de quelqu'un à un rendez-vous ; on attend que l'eau frémisse dans la bouilloire ; on attend que passent les mois de grossesse, sans jamais être totalement certain de la naissance de l'enfant. De fait, la certitude et l'incertitude déterminent la coloration de l'attente et du désir. À un arrêt d'autobus, on peut croire en une résolution de l'attente : même s'il a du retard, l'autobus arrivera. En revanche, celui qui cherche un emploi depuis plusieurs mois n'a aucune garantie que ce qu'il désire va se produire et vit oppressé par l'incertitude.

L'attente est-elle « pleine » ou « vide » ? Pleine, répond le psychiatre Eugène Minkowski qui voit dans le contraire de l'action un phénomène vital [4] ; vide, affirme ceux pour qui elle est synonyme de temps perdu, parce qu'elle assujettit à une volonté extérieure. Pour d'autres, moins tranchés, l'attente est un temps de repos, une pause dans la vie qui est essentiellement action. Selon la psychologue Gabriella Paolucci, le temps quotidien ne progresse pas en direction de l'avenir, mais rechute dans un présent toujours renouvelé [5]. L'espace quotidien fait du temps un entre-temps, un temps sans valeur propre au regard des événements programmés, autrement dit : un temps dévalorisé, puisque seul le futur compte.

Une foule d'autres sentiments négatifs accompagnent l'attente ou la conclut : c'est la rage – face à ce qui n'est jamais arrivé ; la déception, comme dans la fameuse pièce de théâtre de Samuel Beckett, *En attendant Godot* [6], où les deux personnages en scène attendent l'arrivée d'un troisième homme, qui n'arrive jamais ; ou encore la résignation – face à un événement irrationnel, imprévisible ou inquiétant, comme dans *Le Procès* de Franz Kafka [7].

Ces différents facteurs, selon Minkowski, conditionnent l'attitude adoptée face à l'attente, qu'il faut bien distinguer du projet. Comme le dit aussi Martin Heidegger [8], le projet est une attente qui prend le risque de ne plus être vive et s'engage dans le mécanisme rationnel de l'anticipation. Dans le temps heureux du désir, au contraire, il y a une attente confiante dans un événement qui a toutes les chances de se produire : le désir est alors un temps plein, quoique lent, aussi éloigné du temps de l'insatisfaction permanente que du temps trop convenu d'un événement fermement programmé.

Et vous, quelle est votre attitude face à l'attente ? Pour répondre, songez, par exemple, à la façon dont vous vous comportez quand vous êtes obligé de faire la queue à un guichet : la perte de temps vous met-elle en fureur ou voyez-vous dans l'attente une circonstance inévitable, peut-être même utile ? Quelle que soit votre réponse, une chose est sûre : votre attitude actuelle remonte à l'enfance et dépend du type d'éducation que vous avez reçu. Chez tout enfant, en effet, l'impatience physiologique évolue, par paliers, du principe de plaisir au principe de réalité. Au début, l'attente est insupportable et la satisfaction obligatoirement immédiate ; puis, peu à peu, l'enfant apprend à concilier son propre désir avec celui d'autrui et à tenir compte de la réalité extérieure. Cette transition, du plaisir immédiat aux limites imposées par la réalité, est un passage nécessaire, indispensable dans la maturation normale de l'individu. Voilà pourquoi nombre de psychologues reprochent aux parents d'aujourd'hui, pressés et permissifs, de satisfaire sur-le-champ le moindre caprice, sans enseigner à leurs enfants le temps de l'attente.

Qu'il s'agisse d'un nouveau jouet ou de l'arrivée de la personne aimée, la connaissance du mécanisme de l'attente nous sert, plus tard, dans notre vie adulte. Par exemple, en amour, quand il nous faut s'entendre sur des conventions pour supporter l'angoisse de l'attente.

Cette stratégie est clairement exposée dans un livre très utile pour comprendre les sentiments humains, *Le Petit Prince* d'Antoine de Saint-Exupéry [9]. Dans un des passages, le renard explique la signification de l'« apprivoisement » sentimental. Il y a un jour, le jeudi, pour être précis, où les chasseurs vont danser avec les filles du village et où il est possible d'avancer, sans risque, jusqu'à la vigne. « Si tu viens, par exemple, à quatre heures de l'après-midi, dit le renard, dès trois heures, je commencerai d'être heureux. Plus l'heure avancera, plus je me sentirai heureux. À quatre heures, déjà, je m'agiterai et m'inquiéterai ; je découvrirai le prix du bonheur ! Mais si tu viens n'importe quand, je ne saurai jamais à quelle heure m'habiller le cœur... Il faut des rites. »

L'attente, c'est donc aussi cela : savoir « préparer » son

cœur et supporter, goûter même, les heures et les jours qui séparent encore des retrouvailles avec la personne aimée. Il faut, naturellement, qu'il existe une probabilité raisonnable pour que cet événement si ardemment désiré advienne, ce qui est le cas dans les histoires d'amour qui ont conquis leurs rites et se sont donné un avenir.

Autrement, l'attente est à sens unique ; c'est un désir tempéré par l'angoisse. L'écrivain américain Dorothy Parker en a fait une description mémorable dans un de ses récits : on y voit l'héroïne attendre, avec une angoisse croissante, le coup de téléphone de son amant – lequel n'appellera jamais [10]. L'angoisse du coup de téléphone appartient certainement au rituel amoureux. Barthes la décrit ainsi : « L'attente est un enchantement : j'ai reçu *l'ordre de ne pas bouger*. L'attente d'un téléphone se tisse ainsi d'interdictions menues, *à l'infini*, jusqu'à l'inavouable : je m'empêche de sortir de la pièce, d'aller aux toilettes, de téléphoner même (pour ne pas occuper l'appareil). » Cette corvée, celui qui est amoureux la respecte en souffrant : « Car l'angoisse d'attente, dans sa pureté, veut que je sois assis dans un fauteuil à portée de téléphone, sans rien faire [11]. »

LA NAISSANCE DU DÉSIR

Comment le désir apparaît-il et se développe-t-il ? Difficile de répondre en quelques mots tant le phénomène est complexe et les chemins qu'il emprunte multiples. En disant cela, je pense aux patients qui viennent me consulter pour un problème sexuel. Quand l'un d'eux me déclare : « Je veux, mais je ne peux pas », le projet thérapeutique devient relativement simple. Il est beaucoup plus compliqué, en revanche, s'il prononce la phrase inverse : « Je pourrais, mais je ne veux pas. » Dans le premier cas, le « Je veux, mais je ne peux pas » se traduit, chez la femme, par l'absence d'orgasme (anorgasmie) et, chez l'homme, par l'incapacité à avoir ou à maintenir une érection satisfaisante, alors même que le désir est présent. Dans le second cas, toutes les conditions d'une vie sexuelle épanouie sont réunies, mais c'est le carburant essentiel qui manque : le désir.

Certains voudraient que le secret du désir soit contenu dans une formule chimique et puisse être « activé » sur commande mais, à l'évidence, la potion magique n'a toujours pas été inventée, comme le prouve la longue histoire des substances aphrodisiaques [12]. La principale zone érogène demeure celle logée entre les oreilles, le cerveau. Aucun excitant ne peut remplacer l'imagination, même si nombre de patients viennent me demander la « pilule du désir ». Comme s'il existait un remède miraculeux dont on pourrait prescrire trois comprimés par jour ! D'autres voudraient qu'on le réactive simplement, comme si le désir était une fonction physiologique ou une nécessité naturelle. Consternés de le voir disparaître, ils veulent « désirer le désir » et le faire aussitôt reparaître dans sa fabuleuse prodigalité. Mais cette vision « fonctionnelle » ne tient pas compte des multiples facteurs qui donnent à ce sentiment le temps de naître et de se développer.

De l'esprit au corps : un jardin secret

Lorsque c'est le mécanisme *mind-body* qui commande, le désir est d'abord dans la tête, sous forme de fantasme soudain ou de scénario répétitif et secret auquel l'esprit revient fidèlement pour susciter l'excitation [13]. Tout le monde, cependant, ne dispose pas d'un « jardin secret », suivant la célèbre formule de la sexologue Nancy Friday [14] : l'imaginaire peut être pauvre ou déficient et la personne trop concrète pour nourrir des fantasmes dans la vie, en général, et dans le domaine érotique en particulier. Dans d'autres cas, en revanche, la capacité d'imagination est si forte, si vibrante, qu'ils en oublient même jusqu'à la distinction entre le rêve et la réalité.

Il y a, entre les individus, de grandes différences dans

l'utilisation de l'imaginaire comme déclencheur du désir. Il y a ceux, nous l'avons vu, qui se projettent le même film érotique et ont besoin de l'« ancrage » d'une expérience sécurisante, même un peu stéréotypée. Il y en a d'autres qui doivent renouveler continuellement leur imaginaire pour ne pas s'ennuyer. Enfin, il y a tous ceux qui se décident à « agir » leurs fantasmes les plus secrets avec leur partenaire, au risque de compromettre la dimension secrète de l'érotisme et de tuer le désir.

C'est ce qui est arrivé à Alain. Celui-ci a perdu ses parents alors qu'il était enfant et nourrit des fantasmes érotiques liés à d'anciennes expériences infantiles. Quand il était petit garçon, il jouait à s'identifier à sa mère et aimait enfiler ses robes et se barbouiller de rouge à lèvres. Trente ans plus tard, il a besoin de se travestir en empruntant des accessoires féminins pour activer son désir. Comme c'est un personnage public, il craint évidemment d'être découvert, ce qui ajoute un frisson supplémentaire au plaisir de la transgression. Sa première femme n'a longtemps rien soupçonné de ces pratiques, et c'est seulement avec le temps, et grâce aussi à la thérapie, qu'il est parvenu à évoquer ce fantasme érotique. Il vit désormais avec Anne, à qui il a pu tout avouer. Tolérante, dépourvue d'inhibitions, celle-ci l'a encouragé à vivre jusqu'au bout son désir de travestissement, dans l'espoir que cette pulsion, en se satisfaisant, s'éteindrait d'elle-même. Mais dans les faits, cette attitude conciliante a fait disparaître l'excitation du jeu, et le désir d'Alain est tombé.

Du corps à l'esprit : les saisons de la marmotte

Le désir peut aussi suivre un parcours inverse *body-mind* : partir d'une sensation physique et parvenir, dans un second temps seulement, au stade du fantasme érotique. Tout commence alors avec des caresses, des parfums, des odeurs, des gestes lents qui dévoilent une nudité excitante. Les différents sens entrent en jeu pour provoquer le jaillissement du désir. Ce qui fait disparaître les réticences et les inhibitions peut également aider, comme une coupe de champagne ou une lumière tamisée... Mais l'éveil du désir ne dépend pas seulement des rituels amoureux du couple. Il y a aussi une chronobiologie du désir qui soumet le corps à des rythmes périodiques, journaliers, mensuels ou saisonniers. Il suffit de penser aux érections nocturnes ou matinales, qui renouvellent l'envie de faire l'amour quotidiennement, ou encore au désir féminin, souvent lié au déroulement du cycle menstruel. Sur ce point, la littérature scientifique contient des données divergentes [15]. Pour les uns, le désir est plus intense en période d'ovulation (la *libido* ayant, comme chez les animaux, une finalité reproductive). Pour d'autres, il augmente dans la seconde moitié du cycle (même si cette phase coïncide avec le syndrome prémenstruel, marqué par l'irritabilité et l'humeur dépressive). Mais il y a aussi des femmes qui ont plus envie de faire l'amour les « jours sans » et – ce qui est tout autant paradoxal – des hommes qui sont plus excités au moment où l'intimité paraît partiellement compromise. Ce simple exemple prouve combien les facteurs biologiques et psychologiques sont liés.

Ainsi, le désir naît et meurt suivant le cours des jours, des mois et, parfois aussi, des saisons. Mon amie Ariane dit qu'en hiver elle entre « en léthargie » : ses rythmes biologiques sont ralentis et même son envie de faire l'amour s'assoupit. Puis, aux premiers jours du printemps, la « marmotte » sort de son long sommeil, ses pulsions vitales se réveillent, ainsi que sa disponibilité érotique. Cette sensibilité à la froide saison ne constitue pas un cas isolé. Selon le psychologue Henri Piéron [16], il existe un rapport entre la température du corps et le temps subjectif. Le temps de l'horloge biologique passe, en effet, plus lentement quand la température est élevée et plus vite quand elle est basse : ceux qui ont une température corporelle élevée et, donc, le « sang chaud » ont la sensation que le temps passe plus lentement et accélèrent le rythme de leur désir, tandis que ceux qui ont le « sang froid » voient les aiguilles tourner trop vite et, comme mon amie hibernante, ralentissent leurs pulsions érotiques en conséquence. On imagine facilement les terribles malentendus qui peuvent surgir entre deux personnes qui auraient des rythmes et des températures incompatibles.

Mais revenons au désir où alternent, comme nous l'avons vu, des temps rapides et des temps lents. Le désir naît, se rassasie et renaît, suivant un cycle semblable à ceux des autres rythmes plus élémentaires du corps, comme la respiration ou la faim. En fait, il n'y a pas de désir insatiable : la limite en est si bien une partie intégrante qu'il n'y a pas de désir sans limite. L'impossibilité de réaliser « tout, tout de suite » crée la tension nécessaire qui permet au désir d'éclore et de se développer.

Une rencontre du sujet et de l'objet

Le désir peut avoir son origine dans une sollicitation du corps ou de l'esprit. Mais suivant d'autres théories, il peut aussi surgir de l'intérieur de la personne, comme une pulsion vitale ou encore venir de l'extérieur comme « l'obscur objet du désir » cher à Buñuel.

Dans le premier cas, la pulsion du désir est comparable aux autres besoins fondamentaux de l'être humain. Une fois que le besoin de dormir et de manger ont été satisfaits, le besoin sexuel peut se manifester et se transformer (si tout se passe bien) en tension érotique. Selon cette théorie, le désir naît à l'intérieur de l'individu et la pulsion est fondamentalement positive. Comme l'explique le psychiatre Wilhelm Reich, c'est l'*orgone*, une énergie vitale qui flotte dans l'air [17].

À ce modèle de l'« énergie vitale » d'origine païenne, s'oppose depuis des siècles la vision judéo-chrétienne qui soumet la valeur du désir à l'objet de l'amour. C'est la personne aimée qui fait naître l'amour ; c'est l'objet qui produit la fascination du sujet, qui met en branle des énergies insoupçonnées et déclenche des changements imprévisibles.

La psychanalyse a cherché à résoudre ce dilemme et à unir les deux thèses, celle du désir pulsionnel et celle du désir objectal. Elle affirme que l'objet extérieur du désir est souvent le « portemanteau » des besoins internes : à l'origine du désir, il y a toujours l'histoire personnelle du sujet, même si les événements extérieurs peuvent le faire naître.

LE TEMPS DU DÉSIR

Le temps du désir varie entre le « tout, tout de suite » et le « jamais à jamais », entre la très grande impatience et l'immobilisme dangereux. Examinons plus attentivement ces deux pôles extrêmes.

Tout, tout de suite

Tous les enfants (et, aussi, certains adultes) confondent le besoin et le désir : ils veulent « tout, tout de suite » et se montrent égocentriques, capricieux et même violents. On retrouve cette même confusion dans les cas d'urgence sexuelle, qui conduit parfois à des formes de violence sexuelle. À proprement parler, il ne s'agit pas de sadisme, mais plutôt d'une immaturité psychologique qui oblige l'individu à satisfaire, immédiatement, et sans respect pour son partenaire, un besoin animal. Cette description rappellera sans doute à plus d'un lecteur l'affaire du boxeur américain Mike Tyson.

Appartiennent à cette même catégorie les compulsions ou les troubles sexuels irrépressibles, pour lesquels le temps du désir se réduit pratiquement à un temps : la manifestation la plus connue en est l'éjaculation précoce, dont nous parlerons plus en détail dans un prochain chapitre. Enfin, cette impatience sexuelle caractérise les « séducteurs à la chaîne », variante des *serial killers,* qui se consacrent sans répit à la conquête de nouvelles victimes : c'est leur volonté de séduire à tout prix qui les rend si agaçants et, du même coup, si peu séduisants.

Florence est un exemple de Don Juan au féminin. Cette grande et belle femme de quarante ans vit maritalement avec Daniel, qui pourrait être son fils et qu'elle domine, même physiquement. Elle a traversé trois mariages, fait quatre enfants et eu un nombre incalculable d'amants. Tous les hommes qui ont partagé sa vie ont fini par la quitter, sans doute parce qu'ils l'ont trouvée trop portée sur le sexe, trop exigeante et trop peu généreuse. Avec Daniel, le scénario est à peu près le même. Ils ont fait l'amour passionnément pendant deux mois, tous les jours, essayant toutes les postures possibles. Puis la vie conjugale a pris un rythme plus normal. L'ardeur de Daniel est un peu retombée et il a recommencé à penser prioritairement à sa carrière. Déçue, frustrée, Florence s'est faite plus pressante, ce qui a eu pour effet d'inhiber Daniel totalement. Au cours de notre entretien, Daniel reconnaît avoir une grande complicité intellectuelle et affective avec Florence, mais l'idée de savoir que sa compagne exige de faire l'amour chaque soir le bloque. De son côté, Florence cherche à m'imposer ses vues pour la direction de la cure et me conseille de secouer un peu Daniel, avant qu'il ne soit trop tard et qu'elle ne le quitte pour un autre.

La disponibilité sexuelle de Florence masque toutefois un détail troublant : quand je lui demande ce qu'elle imagine pouvoir faire pour « réveiller » Daniel, je constate avec étonnement que cette femme, « dégourdie » et libérée, ignore tout des préférences sexuelles de son compagnon. Autrement dit, elle est incapable de prendre en compte les rythmes et les goûts érotiques de l'autre. C'est le vrai risque qui guette ce couple : par le même mécanisme, Florence a déjà provoqué la même crise dans ses précédentes histoires.

Jamais à jamais

Dans le cas du « jamais à jamais », le temps vient toujours à manquer. Celui qui vit suivant ce schéma est un timide qui ne conclut jamais, tant il veut éviter les confrontations. Il passe son temps à désirer, mais toujours platoniquement, et seulement à condition que le projet sentimental soit parfaitement irréalisable. Il ressemble à Cyrano de Bergerac, le personnage d'Edmond Rostand, qui soupire dans l'ombre par excès de timidité et ne consent à déclarer son amour à Roxane que le jour où il sent la mort venir. Seulement voilà, il est trop tard...

Autrefois, cette réserve du désir était typiquement féminine : la pudeur était un instrument de la séduction. De nos jours, la timidité semble avoir gagné aussi les hommes et on voit se multiplier le nombre de célibataires traumatisés par le féminisme. Ces hommes inquiets voient dans chaque femme une pieuvre étouffante, une sorcière démoniaque, une dangereuse Circé ou une amazone castratrice... Comme ils craignent de s'impliquer, ils subliment leurs désirs dans le sport ou cèdent à l'autoérotisme (agrémenté, le cas échéant, de fantasmes sadomasochistes). Ces timides, qui désirent sans cesse mais ne concrétisent jamais, finissent souvent par tomber dans les filets de femmes décidées auxquelles ils se soumettent avec une relative facilité. Les autres fuient encore. Ce sont les célibataires endurcis qui préfèrent passer une soirée dans un bar avec des amis ou goûter à la sociabilité superficielle des clubs de sport plutôt que de s'engager dans une histoire d'amour trop lourde. Ils ignorent le temps du désir, qu'ils laissent aux nombreuses femmes qui se figurent qu'elles vont les capturer, ignorant que cette apparente timidité masque, en réalité, une phobie sociale ou, plus grave, une névrose de fuite.

Je me souviens d'un de mes patients, Fabrice, qui aimait les rencontres sur Internet ou Minitel, mais refusait les vraies aventures. Sauf en vacances où il abordait des étrangères au physique très différent de celui de sa compagne basque qui restait avec lui dans l'espoir d'un improbable mariage. Fabrice était incapable de s'attacher, à la brune qui le rassurait ou à la blonde de passage : il balançait de l'une à l'autre sans jamais être satisfait, laissant sa fiancée perplexe et amère. Il avait envie et, en même temps, il avait peur, ce qui l'empêchait de trouver la bonne distance et le temps juste pour désirer.

LE DÉSIR QUI DURE

Eh oui ! Comment faire « durer » l'amour ? Comment préserver la vivacité du désir quand un couple a dix ans, vingt ans ou trente ans de vie commune ? L'entreprise paraît ardue, peut-être impossible. Combien ont vu leur partenaire, dynamique et imaginatif à l'époque de la rencontre, devenir apathique et ennuyeux après quelques mois de mariage ? Souvent, c'est la routine qui tue la passion initiale. Mais il existe aussi une catégorie de personnes fondamentalement insatisfaites, qui ont besoin de multiplier les expériences pour entretenir leur désir. Celles-ci sont perpétuellement à la recherche de sensations fortes et supportent mal la structure stable de la vie à deux (à moins de former un couple pervers et de faire sans cesse de nouvelles conquêtes pour se livrer à des jeux sadomasochistes ou procéder à un échange de partenaires).

Est-il donc impossible de faire durer le temps du désir ? Non, si j'en crois les nombreux champions de l'érotisme conjugal que j'ai eu l'occasion de rencontrer et dont j'ai parlé dans mon livre *À quoi sert le couple* [18] ? Mais, évidemment, il n'y a pas de règle unique. Les couples qui continuent à faire l'amour emploient des tactiques très diverses. En règle générale, ces tactiques oscillent entre les deux pôles extrêmes de la répétition et de la transgression.

La répétition ou le plaisir de se choisir jour après jour

Il y a des personnes qui aiment la répétition : le même geste, le même baiser, la même manière de faire l'amour leur procure, à chaque fois, le même plaisir. Elles sont si attachées à ce rituel immuable et rassurant qu'il ne leur viendrait pas à l'idée d'en changer ou d'en modifier le moindre détail. Le désir lui-même devient prévisible, il peut être anticipé, et c'est ce qui est excitant. Une femme mariée depuis vingt-cinq ans m'a un jour confié : « Savez-vous à quoi je pense quand je vois mon mari dans une pièce au milieu d'autres hommes ? Je me dis qu'il me plaît, qu'il me plaît plus que tous les autres hommes présents et je frissonne de joie à l'idée de savoir que cet homme est à moi et que je suis la seule femme de sa vie. » Vue ainsi, la fidélité n'est ni un fardeau ni un devoir. Elle est ce qui donne de la valeur à la personne aimée et c'est de ce sentiment d'appartenance exclusive que se nourrit le désir. Comme si les deux personnes se rechoisissaient chaque jour et autant de fois qu'il y a de jours. Le risque, cependant, est que ce désir devienne trop programmé et certain, plus hygiénique qu'érotique, et qu'il prenne place dans l'emploi du temps de la semaine au même titre que la visite chez les beaux-parents.

La transgression : oui aux nouvelles expériences

Si certains couples aiment faire l'amour dans le même lit, parfois le même jour de la semaine, d'autres ont besoin de « relancer » continuellement leur désir. Après plus de vingt ans de mariage, une championne de l'érotisme conjugal m'a avoué : « Je crois que notre union est solide et heureuse parce que nous sommes l'un et l'autre dénués de préjugés, ouverts à toute solution permettant de réinventer, jour après jour, notre couple. Nous n'avons reculé devant aucune expérience et sur ce point, je dois féliciter mon mari parce que, même si je ne reste jamais à la traîne, c'est lui qui a les fantasmes les plus hardis. Durant toutes ces années, nous avons énormément joué, c'est-à-dire que nous avons fait l'amour partout : dans un buisson de rhododendrons, au milieu des montagnes, sur la banquette de la voiture... Un soir, je me souviens, nous sommes allés dîner : sous mon manteau, je portais simplement des bas noirs et une guêpière. Nous n'avons évidemment pas attendu d'être rentrés à la maison... » Varier, expérimenter, cela va bien au-delà des positions amoureuses ou des lieux : chez ces couples qui aiment la transgression du désir, il y a toujours place pour un peu de danger ou d'incertitude.

Ainsi, le temps du désir oscille entre la rapidité des expérimentations et la lente routine. Le problème est de trouver la bonne harmonie avec la personne que l'on aime. En matière de désir, chacun a son histoire propre et des réserves psychobiologiques qui se libèrent ou restent sous-exploitées avec le partenaire. Il y a des personnes très désirables mais inaccessibles, des personnes accessibles mais décevantes et, enfin, des personnes peu désirables au début mais qui révèlent, avec le temps, des charmes insoupçonnés.

LES OBSTACLES AU DÉSIR

Le désir est vie, énergie, c'est une fenêtre ouverte sur le bonheur. C'est un droit que les femmes, rappelons-le, n'ont conquis que depuis peu. Il fut un temps où l'homme seul avait le droit de désirer et où la femme n'avait que celui d'exister et se définissait en fonction des souhaits et des préférences de l'autre.

Le désir est donc une énergie reconquise ou qu'il faut encore conquérir, puisque certaines personnes n'ont jamais, depuis l'enfance, acquis le droit de désirer et n'ont reçu que celui d'obéir. Toutefois, on voit de plus en plus de personnes en dépression qui ne s'autorisent pas ce droit et d'autres qui placent leur désir sous la tutelle de leurs inhibitions, qui l'étouffent ou le tuent par crainte d'aimer. Voyons pourquoi.

Les attentes divergentes

Pierre et Lise forment un couple intelligent et sympathique. Lise a renoncé à avoir un enfant pour pouvoir se consacrer entièrement à son mari. D'ailleurs, Pierre n'en veut pas et préfère s'adonner à sa grande passion : l'Inde.

C'est une relation triangulaire tout à fait inhabituelle : un mari, une femme et, à la place de l'amant ou de la maîtresse, un pays énigmatique et fascinant. Résultat ? Lise a trompé Pierre pour être moins dépendante et retrouver davantage d'autonomie. Et Pierre a trompé Lise pour se venger de l'affront subi. Le couple a alors traversé une période d'orages. Lise, qui s'était trouvée enceinte accidentellement, n'a pu mener à terme sa grossesse et la perte de cet enfant a déclenché une grave dépression dont elle s'est sortie par une psychothérapie.

Lorsque je la reçois, elle a recommencé à vivre avec son mari, dont elle a décidé de se rapprocher après plusieurs mois de séparation. Elle a beaucoup changé, m'explique-t-elle. Elle a davantage confiance en elle et possède un plus grand « pouvoir contractuel » face à son mari. Désormais, elle essaie de lui faire partager ses désirs et ses choix de vie. Son regard sur son Pierre, aussi, a changé. Désormais, elle voit en lui un compagnon intéressant mais difficile à vivre, et avoue même être moins disposée à supporter ses mauvais côtés. Si la plus grande autonomie de Lise et ses efforts pour construire un couple équilibré sont des éléments positifs, on ne peut en dire autant de la raideur égocentrique que Pierre continue de manifester. Lise a un tempérament enthousiaste et sait partager des passions qui ne sont pas les siennes, alors que Pierre est incapable de s'intéresser aux autres. Bien sûr il voudrait faire des choses avec elle, mais à condition de les avoir choisies ! Parviendront-ils à s'entendre sur un « plus petit dénominateur commun » ? Le premier objectif fixé en thérapie, la mise au point d'un système de communication élémentaire, n'a pu être atteint. Le « soir d'essai », Lise parlait d'amour et Pierre parlait de l'Inde. Déçue, elle est allée se coucher. Que va-t-il se passer maintenant ? Pierre et Lise me font penser aux partis politiques obligés de s'allier pour obtenir la majorité des sièges : il leur reste à définir un terrain d'entente. La décision d'adopter un enfant indien est un premier compromis qui leur permettra peut-être de s'accorder durablement.

Le désir étouffé

Parfois le désir meurt par manque d'oxygène, étouffé par un des partenaires. C'est ce qui guette Isabelle à quarante-cinq ans. Son mari a tout le temps envie de faire l'amour. Ses amies ont beau lui dire qu'elle a une chance folle par les temps qui courent, avec cette épidémie de dépression masculine, Isabelle ne peut plus le supporter. « Il m'expédie comme un hamburger, proteste-t-elle, et je n'aime pas plus le fast-food que le *fast-sex*. » Et elle a raison : Philippe, vorace et peu sûr de lui, se sert du sexe pour combler un vide qu'il sent en lui depuis l'enfance. Il garde le souvenir traumatique des longues nuits passées à la maison, seul dans le noir, tandis que sa mère accompagnait son mari diplomate à une réception officielle. « Pour le plaisir, ça va, commente Isabelle, mais son impatience m'étouffe. » Isabelle se sent plus utilisée que désirée et la disponibilité naturelle de son corps, l'envie de faire l'amour, commencent à diminuer.

L'identité ambiguë

Caroline est inquiète et, en même temps, très excitée. Cette Parisienne de vingt et un ans s'apprête à partir en week-end à la campagne avec Irène. Elle m'avoue qu'elle se sent très attirée par cette amie qu'elle a rencontrée à l'université. Il y a six mois, à l'occasion d'une fête, elles ont dormi dans la même chambre. Caroline se souvient combien elle a eu envie de caresser son amie endormie, et comme elle avait peur aussi qu'elle se réveille. Le lendemain, elles en avaient parlé ensemble, et Irène lui avait répondu qu'elle l'aimait beaucoup mais qu'elle n'éprouvait aucune attirance pour les filles. Jusque-là, Caroline ne s'était jamais interrogée sur son identité sexuelle. Elle s'empresse d'ajouter qu'elle n'a pas une grande expérience de l'amour. En fait, elle n'a eu qu'un seul ami « sérieux », Michel. À chaque fois qu'ils avaient fait l'amour, il était triste et se sentait seul. Il ne me semble pas que Caroline ait une forte tendance homosexuelle : elle désire simplement de l'intimité et de la douceur. Ce qu'elle n'a pas trouvé avec Michel, elle le cherche auprès d'Irène, sa meilleure amie. Il y a donc bien une vague bisexualité, mais le manque de maturité pèse plus lourd. Caroline a grandi dans une famille où elle se sentait seule, entre une mère exigeante et peu présente, un père qui la mettait mal à l'aise et deux sœurs qui l'ignoraient. Que faire dans un cas comme le sien ? Avant de s'interroger sur le type d'union que Caroline sera plus tard en mesure de former, il faut d'abord s'occuper d'elle et la tranquilliser sur son dernier coup de cœur. Une psychothérapie peut l'aider à découvrir sa propre identité qui demeure, selon toute probabilité, de nature hétérosexuelle.

David souffre de la même ambiguïté du désir. À dix-sept ans, celui-ci vient d'avoir sa première expérience homosexuelle. Il a rencontré Philippe dans une soirée et a été immédiatement fasciné par sa gentillesse et sa sensibilité. Il a accepté de passer la nuit avec lui, un peu par curiosité, un peu aussi pour faire plaisir. Il s'empresse de préciser qu'il n'est pas vraiment attiré par les personnes de son sexe. L'an passé, son histoire avec Claire s'est terminée brutalement : elle l'a quitté du jour au lendemain, sans lui donner d'explication. De toute façon, elle passait son temps à le critiquer. David avait déjà une identité fragile, avec une agressivité refoulée et un grand besoin de tendresse. Quand il a rencontré Philippe, il avait encore le sentiment d'avoir « raté » sa première histoire avec une femme. La douceur de cet homme, de surcroît plus âgé, a suffi à le plonger dans l'inquiétude et le doute.

L'exemple de David confirme un changement que j'ai observé à New York et qui explique peut-être le renforcement actuel des tendances homosexuelles. Jusqu'aux années soixante, les hommes étaient entre eux en situation de rivalité permanente. De retour à la maison, ils pouvaient espérer trouver du réconfort auprès de leur épouse *(supportive wife)*. Aujourd'hui, les femmes sont devenues plus exigeantes et, parfois, si implacables que certains vont chercher de la tendresse auprès de leurs pairs.

La peur d'aimer

Un des plus grands obstacles sur le chemin du désir est assurément la peur d'aimer. En général, celle-ci masque la peur d'être soi-même et le manque d'estime personnelle. D'où l'absence de confiance, les accès dépressifs ou même la défiance et la paranoïa.

La peur de s'abandonner aux mouvements du cœur peut être liée à d'anciennes blessures familiales ou résulter de désillusions cuisantes. Une famille désordonnée et confuse, qui émet des messages contradictoires, crée parfois des carences amoureuses. Pour Marianne, par exemple, le sexe est une corvée et, surtout, une perte de temps précieux. Lorsque son mari a envie de faire l'amour, elle y consent, mais uniquement parce qu'elle a besoin de tendresse et qu'elle craint de le perdre. Elle atteint l'orgasme sans difficulté. Ce n'est pas le plaisir qui est absent dans son cas, mais le désir : elle se contenterait bien volontiers de ne faire l'amour qu'une fois par mois. Sortie de la chambre à coucher, Marianne est une personne enthousiaste et curieuse, aimant la vie et son travail. Comme la situation présente ne nous fournit aucun élément pour comprendre ce qui ne va pas, nous en venons à parler du passé.

Je découvre alors que cette femme de trente-quatre ans souffre d'amnésie partielle dès qu'il s'agit de son enfance. Elle parle de son adolescence, de sa forte poitrine qui attirait sur elle le regard des hommes, alors qu'elle n'avait que onze ans. Au lycée, elle tombait facilement amoureuse de ses professeurs et il y a parfois eu, avec certains d'entre eux, des échanges de baisers et de caresses. Son approche du sexe a toujours été pratique et fonctionnelle : à dix-huit ans, elle a fait l'amour pour la première fois, « parce qu'il était grand temps ». Quand elle me décrit sa famille, je vois apparaître quelques failles dans ce pragmatisme de façade. Son père était un homme vaniteux, qui tenait des propos très ambigus dès qu'il avait bu. Il a fini par quitter la maison, il y a quinze ans, et s'est établi avec sa nouvelle compagne en Camargue, où il vit d'expédients. Sa mère est une femme expansive et envahissante, qui n'a jamais su trouver la bonne distance avec ses deux filles. Encore aujourd'hui, elle voudrait leur apprendre de nouvelles recettes de cuisine et les conseiller sur leur vie sentimentale. Marianne s'est détachée de sa mère depuis son mariage, mais celle-ci continue de vouloir lui imposer sa présence. Elle lui a même annoncé qu'elle assisterait à son prochain accouchement ! Le manque de désir de Marianne pour son mari pourrait bien être une façon de taire un passé embarrassant. Confrontée aux fantasmes envahissants de sa mère, victime des propos ambigus de son père, il semblerait qu'elle ait préféré étouffer son désir plutôt que de laisser libre cours à ses pulsions érotiques.

La peur d'aimer peut être moins profondément enracinée quand elle est due à de récentes blessures affectives. Après deux ou trois histoires malheureuses, après un abandon brutal, il arrive qu'on se lance à corps perdu dans le célibat, investissant toute son énergie dans le travail, le sport ou les sorties pacifiques entre amis.

Il arrive aussi que la peur du désir dissimule celle de la passion dévastatrice. « Si je me laissais aller, je n'en ferais qu'une bouchée », disait une jeune patiente que son histoire avec son fiancé rendait très possessive. Le film *Boxing Helena* est une analyse de la folie qui guette ceux qui sont saisis par le désir de possession. C'est l'histoire d'un chirurgien qui, pour ne pas perdre la femme qu'il aime, l'assomme de drogues, puis l'ampute des bras et des jambes, pour en faire une femme-objet, à tout jamais sous sa dépendance. Et c'est bien ce que signifie le titre : « Mettre Helena dans une boîte... »

Enfin, la peur d'aimer et de désirer est parfois liée à la crainte de l'intimité partagée, laquelle est perçue non comme un privilège mais comme une faiblesse. Il est alors important de voir s'il y a du désir derrière cette peur et de comprendre que le désir n'est pas seulement un risque, qu'il est aussi une ressource vitale.

LA MORT DU DÉSIR

Nous avons vu que le désir meurt et renaît périodiquement, suivant les cycles du jour et de la nuit, de la faim et de la satiété. Toutefois, ce rythme ne se maintient pas toujours et le désir peut s'étioler, jusqu'à s'éteindre tout à fait. Pourquoi ? Voici les scénarios les plus fréquents.

L'éternelle toquade

Parfois le désir s'éteint presque spontanément parce que le partenaire élu n'est pas à la hauteur de l'illusion nourrie. C'est le mécanisme de la toquade, qui peut frapper à quinze ans comme à cinquante : on tombe amoureux, on passe ses jours et ses nuits à frémir pour la personne aimée et puis, brusquement, le partenaire se révèle sous son vrai jour, tout différent de celui qu'on avait imaginé. L'illusion seule faisait la force du désir : la toquade passée, la tension érotique tombe d'un coup.

La fuite de la libido dans la dépression

C'est un mal obscur qui attaque l'ensemble des fonctions vitales et qui inhibe jusqu'au désir. Comme le répètent souvent les psychiatres aux patients dépressifs pressés de guérir, la libido est ce qui part en premier et revient en dernier. Nombre de personnes viennent consulter un thérapeute à cause d'une panne de désir alors qu'elles souffrent, en vérité, d'une authentique dépression. Dans le film d'Ingmar Bergman, *Scènes de la vie conjugale*, le personnage principal, un avocat, reçoit dans son bureau une femme d'un certain âge qui lui déclare vouloir quitter sa maison, parce que sa vie n'a plus de sens et son mariage non plus. Elle a le regard triste et la bouche tordue par une grimace qui accentue ce qu'on appelle, en jargon médical, les rides de l'amertume. Sa voix est monotone, ses mimiques et sa gestuelle très réduites, son port totalement statique. Tout en elle manifeste une dépression chronique, qui a emporté, avec le désir de vivre, celui de faire l'amour.

L'amour prisonnier de la routine

On ne le répétera jamais assez : il faut prendre soin de son désir, l'alimenter, le soumettre à des contrôles réguliers comme nous le faisons avec notre voiture. La routine est un piège redoutable : certains peuvent aimer la sécurité de ses rites mais, pour d'autres, c'est l'asphyxie garantie à plus ou moins brève échéance. On passe facilement la frontière qui sépare la sérénité placide de l'insatisfaction destructrice, et une fois que l'ennui a chassé l'enthousiasme, il est difficile de faire marche arrière. Quand le couple respire déjà les fumées empoisonnées de la monotonie, le désir est mort.

L'accouchement ou le K-O de l'intimité

La naissance d'un enfant, surtout s'il s'agit du premier, est une tornade qui prend souvent les jeunes parents au dépourvu. Le désir en fait les frais. Qu'il suffise de rappeler, parmi la masse des études produites sur le sujet, les résultats de l'étude récemment publiée par le *Journal of Sex Research*, la revue des sexologues : vingt et un couples sélectionnés ont noté, jour après jour, l'évolution de leur vie érotique durant les trois années qui ont suivi leur lune de miel. Eh bien, après une année de mariage, la fréquence des rapports sexuels était tombée de moitié et la naissance d'un enfant avait réduit plus fortement encore l'envie de faire l'amour [19].

En général, il suffit de savoir attendre que le désir accomplisse son cycle et regagne en force et en intensité. Donner naissance à un enfant constitue un vrai choc sur le plan physique et émotionnel : c'est une expérience limite de félicité extrême et de grande douleur. On serait bien en peine, aussitôt après, de reprendre une activité sexuelle « normale ». S'il est recommandé, sauf inconfort particulier, de continuer à avoir des rapports sexuels jusqu'aux derniers mois de grossesse, il vaut mieux attendre un peu après l'accouchement, surtout si celui-ci a été traumatique.

Toutefois, les obstacles les plus importants sont surtout d'ordre psychologique. Dans une étude menée auprès de quatre-vingts femmes qui venaient d'avoir leur premier enfant, quinze ont déclaré que leur désir avait baissé parce qu'elles se sentaient beaucoup plus fatiguées ; vingt ont attribué leur désintérêt à la présence du nouveau-né et quarante autres affirmé qu'elles étaient troublées, pendant le rapport sexuel, par la pensée de l'enfant [20]. La naissance d'un enfant peut donc entraîner une altération significative de la vie de couple et de la vie sexuelle.

Mais ce qui compte vraiment, c'est l'entente érotique entre le mari et la femme avant la naissance : la venue d'un enfant peut créer ou aggraver les problèmes d'ordre sexuel mais elle ne saurait, en aucun cas, les résoudre ou les réduire. Et si le désir s'éteint à ce moment précis, c'est que l'érotisme du couple était déjà fragile. Du reste, dans une relation harmonieuse, une baisse relative d'intérêt pour le sexe est facilement acceptée comme une étape transitoire. Les partenaires n'y voient pas une privation, mais plutôt un moment de réadaptation, un réajustement du couple après la grande révolution de la première naissance. Il faut seulement veiller à ce que cette pause n'éteigne pas définitivement le désir.

Stress au bureau, stress entre les draps

Échéances trop courtes, journées trop lourdes, surcharge de travail et de responsabilités : quand il dépasse les limites de sécurité, le stress professionnel a, entre autres effets, celui de tuer le désir. En dix ans, la proportion de

Français qui disent souffrir de nervosité a augmenté de moitié, passant de moins de trente pour cent à quarante-quatre pour cent de la population générale [21]. Parmi les salariés, les chiffres sont encore plus alarmants : selon une récente étude, près de soixante pour cent d'entre eux se déclaraient « stressés » et souffraient d'insomnie, de fatigue ou d'irritabilité [22]. D'une façon générale, c'est la vie de couple qui en pâtit le plus. Tout le stress qui n'a pas été déchargé au travail est, en effet, rapporté à la maison où il entame même l'envie de faire l'amour. On retrouve ce problème à tous les échelons, comme la peur du licenciement et du chômage. L'excès ou le manque de travail s'insinue fatalement entre les draps et émousse le désir.

J'ai épousé un satire : la transgression non partagée

À l'exact opposé de la routine, il y a l'obsession de l'expérimentation, tout aussi dangereuse pour le désir. Il y a vingt ans, Claire a épousé un homme qui la fascinait ; aujourd'hui, il lui fait peur. Bertrand a, en effet, un penchant très marqué pour l'érotisme transgressif. Les stimulations habituelles n'ont aucun effet sur lui : pour être excité sexuellement, il faut qu'il se sente en danger. La crainte d'être découvert et le goût de l'interdit sont les composantes essentielles de son cocktail érotique. Il a, ainsi, entraîné Claire dans une foule de situations aux limites de la perversité. En général, il s'agit d'expériences sexuelles dans les lieux publics – cinéma, restaurant, salle de bains chez des amis, etc. À chaque fois, Claire a cédé pour lui faire plaisir mais, aujourd'hui, l'escalade lui fait peur, car elle semble ne devoir jamais s'arrêter. Au fil de la discussion, il apparaît que l'histoire personnelle de Bertrand est assez ambiguë. Celui-ci a vécu de nombreuses expériences à trois, avec toujours un autre homme, et souffre probablement de narcissisme pathologique et d'identité sexuelle incertaine. Il est difficile de savoir si ce qu'il demande à sa femme est de se plier à une expérience transgressive de plus ou, au contraire, de l'aider à refréner ses pulsions. Heureusement, il a suffi de quelques séances de thérapie pour arrêter ce jeu dangereux. Bertrand n'est pas un vrai « psychopathe pervers », c'est un « émotif anxieux ». Depuis qu'il a verbalisé les désirs qui l'angoissaient, son besoin de déborder s'est apaisé.

UN DÉSIR TOUJOURS EN ÉVEIL

Faut-il conclure de tout ce qui précède que la mort du désir est inévitable dans un couple ? Sûrement pas. Sans verser dans l'optimisme béat de Dagmar O'Connor, auteur, il y a quelques années, d'un livre intitulé *Comment faire l'amour à la même personne pour le reste de votre vie* [23], sans vanter d'improbables formules magiques, on peut indiquer quelques antidotes ou, du moins, certaines précautions pour éviter que le désir ne meure d'ennui.

L'appétit vient en mangeant

Quand le désir languit, il faut à tout prix éviter de se refermer sur soi ou de fuir en se plaçant dans des situations érotiques « à risque ». Autrement dit, il faut refuser l'apathie ou l'alibi des migraines et laisser au désir la possibilité de faire son chemin, même si l'enthousiasme n'est pas au rendez-vous. Beaucoup de couples évitent ainsi de se rouiller, de régresser... en attendant de mieux repartir. C'est l'effet positif de la répétition, que confirme le vieux proverbe : « L'appétit vient en mangeant. »

L'art des caresses

Lorsque l'acte sexuel ne donne plus aucune satisfaction, il peut être utile de revenir au simple plaisir de se découvrir peau contre peau. Le corps est un merveilleux médiateur pour instaurer une intimité affective et physique, proche parente de l'intimité érotique. Souvent, les couples qui s'enlisent ont intérêt à rétablir une communication physique, non verbale, comme prélude à une nouvelle communication érotique. Des suggestions ? Le massage des pieds, les caresses sans limite de temps et les câlins, qui permettent de retrouver une syntonie tactile, tremplin du désir à venir.

Proches mais pas trop

Le grand secret, et pas seulement dans le domaine érotique, c'est de rester curieux de la vie et de conserver des espaces d'autonomie et de passion, son propre *no man's land* en quelque sorte. Cette zone en bordure du terrain conjugal oxygène le couple en même temps qu'elle oblige à regarder l'autre d'un œil nouveau. Ainsi, les deux partenaires parviennent-ils à maintenir en vie les deux désirs amoureux qu'évoque Roland Barthes : le *pothos*, désir de l'amant absent, et l'*himeros*, désir plus ardent pour l'amant présent [24].

CHAPITRE VI

Entre les draps

Nous avons parlé de la naissance et de la mort du désir, de ses rituels, de ses rythmes cycliques. Nous avons vu qu'il pouvait être affirmé ou inhibé, impatient ou serein. Examinons, maintenant, comment le temps conditionne l'érotisme. La rapidité, l'immobilisme, l'impatience sont autant de paramètres qui peuvent agir sur la sexualité et en faire une expérience satisfaisante, stimulante ou, au contraire, problématique. Mais ce qui compte par-dessus tout, c'est la dimension relationnelle : pour une synchronisation optimale, il faut que les rythmes personnels, liés aux habitudes passées, rencontrent ceux du partenaire.

De toute évidence, il n'existe pas de « juste mesure » en ce domaine. Certains couples ont une libido basse et font l'amour une fois par mois, ce qui leur suffit amplement. D'autres sont survoltés et ont des rapports sexuels plusieurs fois par jour. Il n'y a de problème véritable que lorsque les deux désirs ne se rencontrent pas et que l'érotisme exacerbé de l'un s'oppose à l'apathie de l'autre... Cette constante confrontation à des rythmes qui ne sont pas les siens explique, sans doute, que la question la plus fréquemment posée dans un cabinet de sexologue soit : « Docteur, suis-je normal(e) ? » Voyons donc comment le temps de l'éros rencontre la « normalité ».

La fréquence : combien de fois, chéri ?

Une fois par jour ? Par semaine ? Par mois ? La fréquence des rapports sexuels est extrêmement variable et peut engendrer bien des malentendus à l'intérieur d'un couple. Un lieu commun très répandu veut que le mâle ait des désirs plus fréquents et des temps érotiques plus rapprochés. Autrement dit, il devrait avoir plus souvent envie de faire l'amour. Toutefois, la libération des mœurs a totalement bouleversé le champ érotique et, aujourd'hui, comme l'a montré la sexologie moderne, le sexe fort est, en fait, le sexe féminin. C'est d'ailleurs la femme qui, sur un plan physiologique, dispose d'une constitution lui permettant de faire l'amour plus souvent et plus longtemps, sans se fatiguer. Elle ne connaît pas les « périodes réfractaires » qui obligent l'homme à marquer des pauses entre deux rapports et, généralement, à se contenter d'un seul orgasme. Les femmes, elles, peuvent avoir plusieurs orgasmes consécutifs – ce qui explique la naissance du mythe des femmes pluriorgasmiques. Bien sûr, tout cela n'est possible que si les nombreuses barrières sociales et culturelles sont tombées, lesquelles, encore aujourd'hui, ont tendance à brider la sexualité féminine.

L'heure de l'amour : 22 h 34

Peut-on préciser l'heure de l'amour ? Oui, selon une étude américaine amusante. Et même à la minute précise : 22 h 34 ! C'est le résultat du sondage mené auprès des patients de l'Andrology Institute de Los Angeles. L'heure de l'amour coïncide donc avec la fin de la journée de travail et de l'incontournable rituel familial : « dîner ; enfants aux lits ; télé ». Le chercheur qui a déterminé l'horaire de l'amour, le professeur Zavos, s'est toutefois demandé si dans les pays méditerranéens, où les rythmes quotidiens sont plus lents, le moment crucial ne venait pas un peu plus tard. Quoi qu'il en soit, on peut partager le bon sens de ce spécialiste américain : on fait l'amour quand on a le temps, c'est-à-dire le soir. Ajoutons toutefois, pour plus de poésie, que ce choix ne dépend pas uniquement des pressions extérieures puisque la nuit est, de toute façon, propice à l'éros. Elle permet d'approcher la réalité des songes et des fantasmes, où se complaît l'imaginaire érotique. L'obscurité et le glissement entre les draps, dans l'espace le plus intime de la vie à deux, favorisent l'éclosion du désir. Du moins, si on ne s'endort pas avant, accablé de fatigue, préférant les bras de Morphée à ceux d'Éros...

À ceux qui ont du temps, je conseillerais sans façons l'amour l'après-midi, savouré lentement. Et le matin ? S'il faut prendre un train, arriver à une heure précise au bureau, réveiller les enfants et les accompagner à l'école, ce n'est certainement pas le meilleur « créneau » érotique. L'amour en quatrième vitesse n'est jamais recommandé. On peut donc conclure que ceux qui préfèrent l'amour le matin ont plutôt une sexualité de type « hygiénico-sanitaire », tandis que ceux qui optent pour l'après-midi ou le soir savent mieux se perdre dans le monde de l'éros.

Le lieu : le syndrome des quatre-roues

Le temps de l'éros dépend aussi des lieux choisis pour faire l'amour. Les jeunes profitent de l'absence des parents (avec la peur éventuelle de les voir revenir du cinéma ou du week-end à la campagne plus tôt que prévu) ou, souvent, trouvent une solution de repli dans l'intimité relative d'une voiture. La voiture est devenue une « alcôve de substitution [1] » très fréquentée, qui impose une façon de s'aimer malcommode et précipitée. D'ailleurs, les adultes qui choisissent l'automobile le font justement parce qu'elle permet des rapports rapides et furtifs ou qu'elle leur rappelle leurs premiers frissons d'adolescents. Pour la majorité des moins de trente ans, et pour d'autres encore, c'est un choix subi. La crise économique et la difficulté de trouver un emploi obligent, en effet, une proportion considérable de jeunes gens à habiter chez leurs parents longtemps après leur majorité. Les milliers de grands adolescents qui ont fait pendant des années l'amour sur un mode hâtif et clandestin pourront-ils, par la suite, inventer des temps plus lents ? Les spécialistes sont plutôt pessimistes : les chiffres fournis par certains urologues montrent que près de trente pour cent des jeunes gens entre dix-huit et vingt-cinq ans souffrent d'éjaculation précoce. Et la faute en serait à la précipitation des rapports amoureux en voiture. D'où le nom récemment choisi pour qualifier ce trouble : « syndrome des quatre-roues [2] »...

L'autre alcôve de substitution est fournie par le bureau. L'affaire y est conclue rapidement, sur une table ou un canapé providentiel, à moins qu'elle ne se limite à un simple rapport buccal, encore plus expéditif. Cette solution, dit-on, serait très appréciée des hommes d'affaires et des politiciens auxquels elle permet de ne pas perdre une minute à se déshabiller.

La rapidité et l'inconfort semblent donc rencontrer un certain succès. Je m'en suis encore aperçu à l'occasion d'un jeu organisé à la télévision pour la Saint-Valentin [3]. Parmi les différentes questions posées, il y en avait une qui portait sur les lieux de séduction : « Vous préféreriez terminer une soirée en amoureux : a) dans l'espace douillet de votre lit, b) au milieu des parfums d'un sous-bois, c) par une expérience risquée dans l'ascenseur ? » À ma grande surprise, j'ai découvert que la solution de l'ascenseur avait recueilli vingt pour cent des réponses : après le train, ce serait donc le moyen de transport qui suscite le plus de fantasmes. Tout dépend alors du nombre d'étages et de la rapidité de la cabine !

Le rythme : à la hussarde

Le terme est un peu leste, je le concède, mais il est entré dans l'usage et il rend bien compte de l'idée : un comportement sexuel résolument expéditif, adopté pour répondre aux pressions extérieures ou parce que le partage de l'intimité est mal vécu. On fait l'amour très vite, quand on agit à contrecœur, qu'on y est forcé ou qu'on ne veut pas y dépenser toute son énergie, avant la partie de tennis ou la longue journée de travail. Une telle précipitation est pourtant contraire au rythme de l'amour, fébrile dans sa phase conclusive, mais lent dans ses préambules. C'est justement ce qui distingue le professionnel de la séduction de la masse des dilettants impatients : son envie irrépressible de séduire diffuse une chaleur bien méditerranéenne, tient compte des variations du sentiment et sait prendre le temps nécessaire pour faire le siège de sa victime. Les *latin lovers* savent perdre leur temps magnifiquement, et même les plus stakhanovistes d'entre eux ne donnent jamais l'impression d'être pressés, du moins quand il s'agit de tisser leur toile. La tension lente et insoutenable croît progressivement et ne laisse aucune chance à la proie choisie.

QUAND L'ÉROS VA TROP VITE

L'érotisme peut être précipité par la séparation des amants. Les retrouvailles accélèrent alors le désir et la « consommation » : on n'a pas même le temps d'arriver à la chambre à coucher. L'impatience sexuelle peut être plus brutale encore quand elle fait suite à une longue période d'abstinence forcée (service militaire, peine de prison, voyage au long cours). Reconnaissons toutefois que ce sont des situations peu fréquentes, et intéressons-nous plutôt aux cas où l'impatience érotique présente un caractère pathologique.

Je précise, d'emblée, que les incidents qui relèvent d'une activité sexuelle frénétique sont extrêmement rares et qu'on voit peu souvent des fractures du pénis. En outre, certaines situations que j'ai pu observer il y a vingt ans font aujourd'hui partie du folklore médical : celle, par exemple, qu'on appelle *penis captivus*, lorsque l'homme se trouve prisonnier de sa partenaire de façon tout à fait involontaire. La femme, le plus souvent sous l'effet de la peur ou de l'anxiété, contracte fortement ses muscles vaginaux et empêche l'homme de se retirer. Le sang artériel continue à affluer dans le pénis, sans que le reflux veineux soit possible. Ce qui produit une situation tragi-comique, mais douloureuse quand elle se prolonge. Je me souviens avoir dû moi-même appeler une ambulance pour faire hospitaliser un couple qui ne parvenait pas à se « désemboîter ». Heureusement, les connaissances médicales permettent aujourd'hui de résoudre, sans douleur, ce type de problèmes : un toucher rectal par le partenaire (ou le médecin de garde à l'hôpital) fait disparaître immédiatement la contraction vaginale.

Les accros du sexe

Dans notre société, qui propage à grande vitesse tous les comportements de dépendance pathologique, il était inévitable qu'après la drogue, l'alcoolisme, la boulimie, la passion du jeu ou le virus d'Internet, vienne l'obsession du sexe. Depuis que l'acteur Michael Douglas a reconnu qu'il s'était fait hospitaliser pour se désintoxiquer, le terme de *sexalcoholic* a fait le tour du monde. Mais laissons là cet exemple célèbre – on peut toujours craindre, avec ce genre de nouvelles, qu'elles ne soient surtout diffusées dans le but de faire parler de soi – et demandons-nous s'il s'agit de la dernière trouvaille du puritanisme ou d'une véritable maladie. Pour répondre, nous devons être en mesure de tracer la frontière entre le normal et le pathologique.

On peut dire d'un sujet qu'il est dans la norme tant que son désir reste contrôlable et suscite plus de plaisir que d'anxiété. C'était le cas de l'écrivain Guy de Maupassant qui avait un nombre impressionnant de maîtresses parce que, disait-on, il pouvait avoir de multiples érections à toute heure du jour et de la nuit. La situation de ceux qui font du sexe l'objectif principal de leurs journées est toute différente.

Jean-Jacques, par exemple, est un vrai drogué du sexe. Cet homme dynamique de quarante ans, qui travaille dans une agence de publicité, a une vie sexuelle dont sa femme ne soupçonne rien. Au bureau, en vacances, en voyage d'affaires, il ne parvient jamais à refréner ses besoins sexuels, aussi impérieux que la faim ou la soif. Ce n'est pas un pervers : il ne cherche pas la nouveauté dans la multi-plication des aventures ; il n'aime pas se servir d'accessoires sadomasochistes ou expérimenter d'étranges jeux érotiques. Il souffre simplement de boulimie sexuelle. Comme d'autres se lèvent la nuit pour vider leur réfrigérateur, Jean-Jacques a besoin de se « goinfrer » de sexe.

Les hommes ne sont pas les seuls à présenter ce genre de trouble, mais la réprobation sociale est beaucoup plus forte à l'égard des femmes qui, dans le meilleur des cas, sont cataloguées « nymphomanes perverses ». Le comportement impulsif qu'on remarque chez certaines jeunes filles sert probablement à diminuer l'anxiété qui les opprime et à mieux définir une identité sexuelle qui se cherche à un moment aussi ambigu que l'adolescence.

Dans tous les cas, qu'il s'agisse d'hommes ou de femmes, ce sont toujours les sentiments et les relations à deux qui pâtissent le plus de ce comportement de sexo-dépendance. En exigeant d'être rapidement satisfaits, ces besoins empêchent, en effet, toute synchronisation avec le partenaire et rendent impossible le partage de l'intimité.

Les éjaculateurs prématurés

Je crois qu'il faut renoncer à la définition de l'« éjaculation précoce », car elle se réfère à une norme, une « normalité », qui n'est pas toujours valide. Conserver comme seule mesure un nombre donné de mouvements ou une certaine durée revient à nier la grande diversité qui caractérise, pourtant, l'érotisme. Si une femme atteint l'or-gasme en trente secondes et son partenaire en une minute, il n'y a aucun risque qu'ils viennent me consulter. En revanche, si elle y parvient en cinq ou dix minutes, l'homme sera vu comme un éjaculateur précoce et on lui conseillera de s'adresser à un sexologue.

En outre, il existe de très grandes variations entre les cultures. Ainsi, dans les pays méditerranéens et d'Afrique du Nord, l'éjaculation rapide est considérée comme une donnée physiologique, et on préfère mesurer la virilité au nombre de rapports plutôt qu'à leur durée.

Il vaut mieux, par conséquent, quand on parle de ce problème, employer l'expression « éjaculation prématurée », puisqu'elle se produit de manière involontaire et qu'elle est prématurée par rapport aux attentes de l'homme et de sa partenaire. Ce désordre n'affecte ni le désir ni l'érection (qui se manifestent souvent de façon excessive). Le problème est plutôt une très grande anxiété et une incapacité à se « retenir » : l'homme éjacule parce qu'il est trop impliqué dans ce qui se passe et qu'il n'est pas suffisamment spectateur de son activité sexuelle. Il confond expansion et explosion. L'éjaculation prématurée est un phénomène explosif, échappant au contrôle de l'individu, alors que dans l'érotisme masculin « normal » on constate un processus d'expansion, l'excitation augmentant graduellement, avec un déplacement de la génitalité à la corporéité, jusqu'à la participation du monde imaginaire.

Parfois, l'éjaculation prématurée a une cause physiologique : un phimosis, un frein trop court ou une urétrite, qui produisent un effet irritant sur la zone urogénitale. Ces causes organiques (qu'on peut diagnostiquer facilement lors d'un examen chez l'andrologue) sont cependant rares. En revanche, il est fréquent qu'un éjaculateur trop rapide ait souffert, enfant, d'*énurésie* nocturne : cette ancienne incapacité à se retenir d'uriner pendant le sommeil confirme la confusion relative des fonctions urogénitales. Par la suite, c'est comme si cette incontinence passée persistait comme mode de vie ou, du moins, comme mode sexuel.

Que peut-on faire pour aider un éjaculateur prématuré ? Avant tout, comprendre à quelle catégorie il appartient, parce que le traitement dépend de son histoire, de son rapport aux femmes et à l'érotisme. Voici donc cinq types d'amants précipités. Si l'on peut, dans le cas des éjaculateurs surexcités ou émotifs, agir par une médication et une brève thérapie, il faut dans les autres cas, plus graves, aller au fond du problème et faire resurgir d'anciens conflits encore non résolus.

1. *Le surexcité.* C'est le type le plus fréquent : il concerne au moins soixante-dix pour cent des cas d'éjaculation prématurée. Hyperémotif, le surexcité a perdu le rythme intérieur du temps. Il mange vite, parle vite, marche vite, bégaie parfois, et il finit aussi par éjaculer trop vite. Toute sa vie est marquée par la souffrance que lui cause son impatience impulsive. Cependant, avaler ses mots et courir au lieu de marcher ne sont pas de véritables problèmes : le drame éclate dans la chambre à coucher, à cause de l'importante valeur relationnelle attachée à la sexualité.

C'est le cas de Sylvain. Ce jeune homme de vingt-deux ans a été traîné jusqu'à mon cabinet par Cécile, à la suite de deux petits « incidents ». Le premier est survenu peu après leur rencontre dans une discothèque : Sylvain est parvenu au plus haut degré de l'excitation alors qu'ils étaient encore en train de danser un slow. Une heure plus tard, dans la voiture, par émotion ou à cause de la fatigue, Sylvain a éjaculé tout de suite après la pénétration. Cécile a été déçue et même un peu blessée, et elle a posé comme condition à une nouvelle tentative qu'ils viennent ensemble me consulter. Lors de l'entrevue, Sylvain est assis sur le bord de sa chaise, il transpire, parle vite ou répond par monosyllabes, et montre tous les signes d'une personnalité anxieuse. Je lui décris quelques exercices de relaxation très simples et lui demande s'il a compris. Comme il acquiesce, je l'invite à répéter. Sylvain n'y parvient pas : la panique paralyse son esprit. Il m'explique que cela lui arrive souvent. À l'université, il se laisse toujours prendre par le temps et ne se met à travailler qu'au dernier moment, avec toute l'anxiété que cela implique. En général, ses nuits blanches à la veille des examens produisent des résultats désastreux. Au sport, même chose : Sylvain est bon joueur de tennis mais, quand il participe à des tournois, au moment crucial, il joue précipitamment et perd les points décisifs. Il souffre d'un grand désordre intérieur et se comporte dans la vie comme au lit. L'objectif prioritaire, c'est donc de l'aider à acquérir une meilleure maîtrise de soi, ce qui est plus important encore que l'impatience sexuelle qui a tant alarmé Cécile.

Comment soigner une personne surexcitée ? Opter pour une thérapie strictement sexuelle serait faire preuve de courte vue, puisqu'il est inconcevable de modifier un symptôme sans changer le style de vie. Les techniques psycho-corporelles de relaxation, telles qu'elles sont pratiquées dans les milieux sportifs (le training autogène de Schultz par exemple), sont plus indiquées. Le yoga, aussi, est efficace, de même qu'en général toutes les activités qui permettent d'acquérir un meilleur contrôle de ses émotions.

C'est le premier pas. Quand on a calmé un peu l'anxiété générale, on peut prescrire un traitement médical, le même, d'ailleurs, qu'on prescrit aux enfants souffrant d'énurésie nocturne. Après une semaine, l'effet est déjà visible, dans quarante pour cent des cas. On peut aussi conseiller l'utilisation de préservatifs lubrifiés à l'intérieur avec un produit retardateur, ou bien l'application de cette même pommade sur le gland quelques minutes avant le rapport (dans ce cas, il faut bien faire pénétrer, d'abord pour ne pas affecter la sensibilité de la partenaire, ensuite pour atteindre les terminaisons nerveuses sous-cutanées de l'homme).

2. *L'émotif.* Au contraire du surexcité, l'émotif garde un solide contrôle sur sa vie, auquel seule échappe son activité sexuelle. L'impatience dont il souffre est donc sélective, limitée à un domaine bien défini. Lorsqu'il commence à faire l'amour, tout semble normal et les préliminaires se passent très bien. C'est juste au moment de la pénétration

qu'il « perd la tête ». On constate souvent dans ces cas que l'éducation sexuelle reçue a été rudimentaire ou répressive, ce qui explique l'accumulation d'une attente démesurée à l'égard des femmes et de l'éros. La sexualité féminine reste une terre mystérieuse et excitante, et l'émotion provoquée par sa rencontre fait perdre tout contrôle phallique. Comment peut-on agir sur cette forme de trouble ? Les « éclaircissements anatomiques » ou les thérapies sexuelles sont les plus efficaces, car elles permettent d'expliquer et, éventuellement, d'exorciser le mystère de la sexualité féminine. On peut, en outre, travailler durant la thérapie sur le fantasme secret du vagin dangereux et excitant. La technique de « compression » du pénis, exécutée en couple, est également utile en permettant le blocage manuel du réflexe éjaculatoire.

Laurent est un émotif typique au lit. Son dernier rapport avec Bénédicte a été une vraie catastrophe. Pendant les préliminaires et les caresses, il a maîtrisé son excitation, sans rien précipiter, mais lorsque sa compagne s'est échauffée à son tour, son odeur l'a rendu fou. Bénédicte l'a guidé à l'intérieur de son corps et lui, enivré par son parfum et sa chaleur, n'a pas pu se retenir plus d'une minute. Heureusement, son amie, qui voit dans cette précipitation le signe d'une profonde et irrépressible attirance, lui pardonne toujours. Laurent est venu en consultation pour un problème de stress professionnel. C'est seulement incidemment qu'il aborde la question du sexe. Il vient d'une famille extrêmement attachée aux conventions où il n'en était jamais question. Sa mère et ses sœurs sont d'une pudeur chatouilleuse et, dans l'ensemble, se montrent très réservées. Laurent a donc grandi dans le mythe de la féminité secrète et mystérieuse. Il est très sensible aux odeurs, et c'est surtout cette sensibilité olfactive très développée qui lui fait perdre la tête. Le parfum de sa compagne, mêlé aux odeurs humides et fortement érotiques qui se dégagent pendant l'acte amoureux, sont le déclencheur d'une excitation qu'il ne parvient pas à contrôler.

3. *Le craintif.* Plus encore que l'émotif, le craintif éprouve une intense excitation face à l'autre sexe, à laquelle se mêle, cependant, une certaine inquiétude. Il voit le corps de la femme, et notamment sa zone génitale, comme un espace mystérieux, peu accueillant et, même, dangereux. Mieux vaut, donc, ne pas s'y attarder trop longtemps, car derrière toute fée pourrait bien se cacher une sorcière. Autrement dit, les craintifs sont incapables de dominer leurs sentiments négatifs de peur et d'hostilité. Le problème est alors plus difficile à soigner. Les techniques de relaxation ou la meilleure connaissance de l'anatomie féminine ne suffisent pas : une psychothérapie est plus indiquée pour clarifier les rapports avec la femme-sorcière.

C'est, au fond, l'histoire de Sébastien, grand séducteur qui, comme beaucoup de Don Juan, déteste, en réalité, les femmes. À quarante ans, ce brillant énarque, marié et père de trois enfants, a une femme de confiance qui tient le gouvernail de la maison et avec laquelle il a des rapports peu fréquents mais satisfaisants. Le problème, ce sont les autres femmes. Au début, il est aimable et séduisant ; en somme, il plaît. Mais à peine sa nouvelle conquête lui a-t-elle dit « oui », qu'il devient froid, nerveux, et veut se défiler. S'il doit faire l'amour, c'est toujours trop vite. C'est comme si Sébastien concentrait dans l'éjaculation frénétique sa rage d'une nouvelle déception. Il ne se rend pas compte qu'il fabrique lui-même le piège dans lequel il tombe. Il rêve d'une femme extraordinaire et projette cet idéal sur toutes les malheureuses qu'il rencontre. Au début, sa cour est habile et sincère, mais elle laisse vite place à un comportement glacé, réservé et ennuyé. Le rapport sexuel n'est pas un acte d'amour ; c'est un acte précipité et rageur, animé de sentiments hostiles.

4. *L'impuissant.* Il arrive aussi que l'éjaculation prématurée dissimule un problème d'impuissance. C'est le cas de Jacques qui craint toujours de ne pas pouvoir se maintenir en érection et qui se « dépêche » de jouir avant que

son excitation ne retombe. Cette forme de précipitation, presque volontaire, se manifeste surtout chez les hommes d'un certain âge, à la différence des autres cas évoqués plus haut, plus fréquents chez les jeunes gens. Ce qu'il faut alors, c'est traiter l'impuissance du patient.

5. *Le vindicatif.* Quand l'éjaculation prématurée est voulue, elle prend le nom d'« éjaculation punitive ». Elle survient, évidemment, lors de conflits conjugaux chroniques. Charles, par exemple, aurait très bien pu se « retenir », mais il ne le faisait pas. Marié depuis une vingtaine d'années, son couple traversait une grave crise. Il avait trouvé le moyen perfide et efficace de punir son épouse : il l'amenait à l'excitation puis éjaculait aussitôt, avant qu'elle n'ait atteint l'orgasme. À son tour, sa femme s'est vengée, en demandant un divorce très onéreux et en mettant en doute la virilité de son mari. Dans les cas d' « éjaculation punitive », c'est la crise conjugale qui peut devenir l'objet de la thérapie – du moins, s'il est encore temps.

L'orgasme précoce de la femme

Nous n'avons, jusqu'ici, parlé que des hommes. Mais les femmes peuvent aussi arriver trop vite au plaisir. Toutefois, le phénomène est beaucoup plus rare. Selon les célèbres sexologues Masters et Johnson [4], cette forme d'orgasme précoce n'empêche en rien la survenue d'autres orgasmes : il caractérise les femmes à fort potentiel érotique, qui arrivent rapidement à un premier sommet de plaisir et éprouvent ensuite des orgasmes « en rafale ». En revanche, selon une autre sexologue américaine, Helen Kaplan [5], l'orgasme précoce est affecté d'un signe négatif. C'est une réponse érotique rapide, assimilable à une décharge électrique, sans participation corporelle et émotive. En général, au bout de quelques instants, la femme ne supporte même plus qu'on la touche et laisse son partenaire à mi-chemin, déçu et frustré.

Cette mauvaise précipitation me fait penser à Christine, dix-huit ans, dont la vie sexuelle est aussi frénétique que frustrante. Je la rencontre dans la salle d'attente d'un planning familial où j'assiste, médusé, à une espèce de psychothérapie de groupe sauvage entre quatre jeunes femmes qui débattent de leurs problèmes sentimentaux, sexuels et physiques. Elles sont venues parce que l'une d'elles doit effectuer un test de grossesse. C'est surtout Christine qui parle. Elle se demande à voix haute et avec un manque complet de pudeur pourquoi elle a tout le temps envie de faire l'amour. Elle est obligée de se masturber au moins cinq fois par jour pour ne pas « exploser » et n'a pas eu de rapport sexuel depuis quatre semaines. Ses amies la rassurent en lui disant qu'elles ont les mêmes besoins, mais moins pressants. Je parviens à transporter le petit groupe de la salle d'attente à mon cabinet. Christine commence alors à me raconter une histoire inquiétante, sur laquelle j'ai d'abord quelques doutes. Elle a été violée quand elle avait quatre ans par un employé de la crèche, qui a ensuite été condamné à quinze ans de prison. Elle en a gardé un souvenir très net et me fournit certaines précisions anatomiques avec un manque de retenue surprenant. Pour la protéger, sa mère lui a affirmé qu'elle avait fait un mauvais rêve et, depuis, Christine y repense en se demandant si elle a tout rêvé ou si la scène a bien eu lieu. Comme souvent dans ce genre de cas, le traumatisme infantile n'a pas entraîné de troubles d'ordre sexuel, mais affectif. Christine a dissocié le cœur du sexe. Elle n'a aucune difficulté à atteindre l'orgasme ; elle a découvert la masturbation à l'âge de huit ans et a eu sa première relation sexuelle à douze ans. Cependant, les hommes avec qui elle fait l'amour la satisfont en même temps qu'ils la dégoûtent. Et ce n'est pas son seul problème : Christine, qui pèse quatre-vingt-cinq kilos, a commencé un régime, mais elle est souvent prise de crises de boulimie pendant lesquelles elle avale, comme elle dit, toutes sortes de « cochonneries ». Ce comportement alimentaire avide répète et amplifie son comportement sexuel :

Christine est sans cesse à la recherche d'un homme, et d'un orgasme, mais elle n'en sent pas la « saveur ». Elle déclare ingénument qu'elle aimerait maintenant trouver un « garçon sérieux », mais qu'elle n'y parvient pas, parce que sa voracité sexuelle l'empêche d'établir une vraie relation affective. Un lien très fort l'attache à sa mère, qu'elle idéalise et qu'elle voit comme une sainte. Son regard sur les hommes est ambigu : ce sont soit des « pénis » qui lui donnent du plaisir, soit des figures de « fiancé idéal », aussi saintes que la mère, c'est-à-dire inaccessibles. Christine souffre d'une dissociation évidente entre le temps érotique et le temps sentimental. Seule une longue psychothérapie pourra l'aider à se libérer de la lourde hypothèque de son passé.

L'EXCÈS DE LENTEUR

Il y a des lenteurs du désir et des lenteurs de la réponse sexuelle, qui sont dues aux inhibitions, à l'inquiétude ou, plus simplement, à la fatigue. Mais il existe aussi une lenteur du plaisir masculin, qu'on appelle l'« éjaculation retardée » ou impossible. C'est exactement le contraire de ce que nous venons d'évoquer. Selon les recherches de Giorgio Abraham, l'éjaculateur pressé et l'éjaculateur lent semblent avoir deux conceptions opposées du temps [6]. Si l'on demande au premier au bout de combien de temps l'éjaculation doit survenir pour pouvoir être qualifiée de normale, celui-ci répond en général : « Une demi-heure. » Le second, en revanche, pense que quelques minutes suffisent. Mettons de côté le chronomètre et voyons d'un peu plus près en quoi consiste la difficulté à éjaculer. Nous progresserons du cas clinique le plus simple au plus compliqué.

Éjaculation retardée : le syndrome du contrôle

Dans ce premier type de cas, l'éjaculation est retardée, sans être impossible. L'homme a une érection prolongée, mais l'excès de contrôle l'empêche de « larguer les amarres » et de s'abandonner au plaisir. Hormis les situations dues à l'usage de certains médicaments (comme les ganglioplégiques antihypertensifs et certains psychotropes), l'origine de ce trouble est d'ordre psychologique. Les hommes qui en souffrent sont en général obsessionnels et hypervigilants, voire méfiants. Pour eux, l'abandon au plaisir du corps est un risque : ils en viennent à érotiser la maîtrise de soi au lieu du plaisir éjaculatoire.

Je me souviens d'Alexis, un antiquaire très raffiné, qui aimait l'extrême précision et s'exprimait toujours dans une langue châtiée, d'une voix monocorde. Il était discret, retenu, presque avare. Il avait du succès auprès des femmes plus soucieuses de quantité que de qualité, qui se satisfaisaient dans la durée sans s'apercevoir que le rapport sexuel s'était limité à un exercice de masturbation vaginale. En revanche, celles qui souhaitaient un plaisir partagé et un véritable échange partaient en courant, une fois l'affaire conclue, frustrées et épuisées.

Éjaculation extra-vaginale : se fier est bien, se méfier est mieux

L'éjaculation est impossible durant le coït mais peut être provoquée par les caresses et les jeux érotiques. C'est le cas de Simon, brillant chimiste, très porté aux habitudes : il n'arrive pas à faire l'amour autrement que dans la position du missionnaire, parce que seule cette position lui permet de contrôler la situation et les réactions de sa femme. Avant de se marier, il a eu une cruelle déception sentimentale. Son amie lui a menti et a cherché à rester enceinte pour précipiter leur mariage. Ce traumatisme l'a bloqué et, maintenant, même s'il désire ardemment des enfants, il ne réussit pas à éjaculer pendant la pénétration. En revanche, il y parvient facilement lors des caresses et, plus facilement encore, par la masturbation. Comme Simon et sa femme ont tous deux plus de trente-cinq ans et que l'envie d'avoir un enfant se fait assez pressante, ils sont arrivés à un compromis : Simon s'excite de son côté et pénètre sa femme au dernier moment avant l'orgasme.

Éjaculation limitée à l'autoérotisme :
la solitude dans le plaisir

Celui qui souffre de cette forme de trouble a toutes les chances d'être un homme inquiet, qui se méfie de toutes les relations affectives : le partage de l'intimité et l'abandon sexuel sont difficiles, parfois même exclus, et seule la masturbation solitaire mène au plaisir. C'est un comportement pathologique, non parce qu'il s'agit d'autoérotisme, mais parce que c'est l'unique moyen de satisfaire ses pulsions sexuelles. En général, cette pratique s'enracine dans le passé et est conditionnée par certains fantasmes, le plus souvent sadiques, incompatibles avec un rapport à deux fait d'estime et de tendresse. C'était le problème de Vincent, qui ne parvenait pas à avoir de plaisir avec sa femme : il trouvait que ses fantasmes étaient « sales » et il ne voulait pas qu'ils contaminent la future mère de ses enfants. On s'en doute, les enfants ne venaient jamais... Vincent et sa femme avaient envisagé de recourir à une insémination artificielle, mais je leur ai conseillé de suivre le chemin le plus long et le plus difficile, celui de la psychothérapie, car il faut remonter dans le passé, à l'origines de ces pulsions « perverses », pour pouvoir libérer le présent.

Éjaculation « seiuncta » :
quand l'orgasme vient pendant la nuit

Le terme latin indique la dissociation et, de fait, l'éjaculation est comme divisée. Elle est possible la nuit, quand la censure s'atténue et que les pulsions récupèrent le droit de s'exprimer, éventuellement à travers des rêves érotiques. De jour, en revanche, l'éjaculation est impossible, parce que la surveillance est rétablie. Le plus souvent, ces troubles recouvrent un excès de vigilance et une excessive défiance, voire un noyau paranoïaque : la femme est perçue comme un ennemi potentiel plus que comme une compagne amoureuse. L'histoire de Victor, de ce point de vue, est étonnante. Ce capitaine d'industrie, austère, toujours maître de lui, souffrait depuis longtemps ne pas avoir d'éjaculation, mais il avait toujours refusé de se faire soigner. Et pourtant, il a aujourd'hui un enfant. Un soir, sa femme a profité de la porte entrouverte par l'éros onirique : Victor, en effet, ne se laissait aller à faire de rares avances qu'au milieu de la nuit, dans un état de quasi-inconscience.

Est-il possible de guérir ?

Comme pour l'éjaculation prématurée, il existe pour l'éjaculation retardée ou impossible un large éventail de soins, mais leur succès est assez mitigé. Si les thérapies de réapprentissage qui visent à rendre au sexe une dimension positive et partagée, type Masters et Johnson, fonctionnent très bien dans les cas d'éjaculation prématurée (près de quatre-vingts pour cent de réussite), elles ne sont efficaces que sur trente pour cent des cas d'extrême lenteur. Les thérapies cognitivo-comportementales sont souvent trop superficielles et les thérapies de couple insuffisantes. En outre, il n'existe pas de médicament pour favoriser l'éjaculation. Il faut donc recourir à une psychothérapie analytique, laquelle peut résoudre la tendance conflictuelle qui se cache derrière l'excès de contrôle ou la méfiance envers l'univers féminin. Il est vrai, toutefois, que la durée d'une analyse rebute souvent les éjaculateurs lents, surtout s'ils sont venus réclamer de l'aide pour pouvoir faire un enfant rapidement, pas pour changer en profondeur.

Et les femmes, qu'en disent-elles ? Il fut un temps où elles toléraient que ces « retardataires du plaisir » se fassent passer pour des champions du sexe, capables de faire durer pendant des heures le rapport amoureux. Aujourd'hui encore, certaines, peut-être plus attirées par la durée que par la qualité de l'acte sexuel, trouvent attirants les hommes capables de maintenir une érection pendant toute une nuit.

Mais lorsqu'elles s'aperçoivent que leur partenaire n'est pas capable de conclure un rapport sexuel et d'arriver à un plaisir partagé, elles commencent à se sentir frustrées et désorientées. Et surtout, elles sont « achevées » par ces coïts interminables qui ont perdu toute dimension érotique.

Quand elle tarde

Nous avons vu que la précipitation érotique était relativement rare chez la femme. Le phénomène contraire, l'inhibition qui retient de s'abandonner au monde de l'éros, est beaucoup plus fréquent. Encore aujourd'hui, certaines femmes de bonne famille, mères et épouses exemplaires, se donnent la peine d' « éteindre la lumière », avant de passer du public au très privé. Chez elles, la part la plus obscure, la plus instinctive et, aussi, la plus « animale » est fermée à clef, enfouie au fond d'une armoire. Il est alors difficile de libérer les énergies qui font naître le désir et portent à l'orgasme. C'est la faute aussi des conventions sociales, qui ont toujours condamné les femmes ayant un fort potentiel érotique (cela même qui valait aux hommes d'être valorisés et exaltés).

Le problème, cependant, n'est pas seulement celui d'une maigre disponibilité pour le plaisir. Nous avons vu dans les premiers chapitres comment la hâte pouvait se muer en son contraire, l'immobilité. La même chose se vérifie parfois dans le domaine érotique. Je pense à toutes les jeunes filles qui sont remplies d'angoisse par leurs prestations sexuelles : en se comparant à des modèles inaccessibles, elles perdent leur spontanéité et la capacité à se laisser aller aux sensations du corps. En cherchant la frénésie du plaisir, elles arrivent au mutisme du plaisir.

Il peut aussi arriver qu'une femme, ayant déjà connu le plaisir de l'abandon, voie ses émotions ralenties, parfois jusqu'à l'anorgasmie. Un tel phénomène peut cacher un refus du sexe ou bien un refus du partenaire.

C'est exactement l'histoire d'Agnès. Elle a trente ans et

vient en thérapie avec son mari pour une raison apparemment simple : l'anorgasmie, problème qu'elle n'avait jamais connu avant, ni avec son mari ni avec ses précédents partenaires. Elle se sent frustrée tandis que François-Xavier, de son côté, s'avoue extrêmement déçu. Petit à petit, derrière cette difficulté, apparaissent d'autres problèmes. Agnès a subi un grand nombre de traumatismes dans sa vie et elle commence à se trouver, plus qu'anxieuse, dépressive. Son père, un industriel fortuné, est mort lorsqu'elle avait seize ans et l'entreprise familiale a, peu après, fait faillite. La catastrophe a été économique, mais aussi affective : la mère d'Agnès a commencé à épargner non seulement l'argent, mais aussi l'amour qu'elle avait pour ses enfants. Agnès a fini par s'enfuir de la maison et s'est mise à travailler pour payer ses études. Nouveau choc quelques années plus tard : Agnès est hospitalisée à la suite d'un grave accident de ski qui manque de lui coûter la vie ; elle reste immobilisée pendant six mois. Sur le plan sentimental, après deux ou trois histoires malheureuses, elle a rencontré François-Xavier. C'est un pharmacien extrêmement possessif, pour qui le sexe est un moyen de se décharger d'un trop-plein d'énergie. Il lui demande de faire l'amour tous les soirs, avec une motivation plus hygiénique qu'amoureuse. Si elle refuse, il ne la laisse pas s'endormir avant d'avoir obtenu son dû. Agnès est terriblement blessée par le comportement de son mari, sexuellement très performant. D'ailleurs, leurs seuls problèmes ne se limitent pas au lit. François-Xavier voudrait aussi gérer le revenu d'Agnès, qui s'y oppose pour garder une certaine autonomie, au moins dans ce domaine. En somme, François-Xavier se conduit en despote. Il est la copie conforme de la mère d'Agnès, avec un même comportement rigide et autoritaire. En fait, le problème apparent d'anorgasmie cache une demande d'aide et un besoin de retrouver une plus grande indépendance. Ce plaisir qui existait auparavant et qui est maintenant « ralenti » ou bloqué est, en réalité, un refus qu'Agnès oppose aux invasions de son mari. Et, en filigrane, à sa mère.

Grâce à la thérapie, Agnès a pu se séparer de François-Xavier. Elle n'a pu affronter ce passage difficile qu'une fois que nous avons élaboré son droit à s'opposer aux ingérences d'autrui. Quand elle a pu dire non avec la tête, Agnès a réussi à dire oui avec le corps. Elle a levé le frein qui pesait sur le flux de ses émotions et elle a retrouvé le goût du désir. En thérapie, nous avons employé une métaphore précise : Agnès était comme une belle maison aux couleurs chatoyantes sous les rayons du soleil, avec un salon accueillant, mais sans escalier pour aller à la chambre à coucher. Méditant sur cette maison qui était la métaphore d'elle-même et qui portait ses propres symptômes, Agnès est arrivée à en construire une plus harmonieuse, capable d'accueillir son désir et son plaisir.

DONNONS DU TEMPO À L'INTIMITÉ

Après les brusques précipitations et les lenteurs excessives, je voudrais terminer en indiquant brièvement les rythmes qui conviennent à l'érotisme. Ce ne sont que quelques suggestions, car ce qui compte en ce domaine, après tout, ce sont les goûts personnels. Il y a ceux qui aiment comme s'ils dansaient un rock, il y a ceux qui préfèrent les danses lascives et... ceux qui dansent tout seuls. Voici donc quelques « pas » à essayer.

Se laisser aller

Mon amie Tania aime déclarer à chaque occasion que la réussite d'une fête tient à deux choses : la qualité de la musique et la quantité d'alcool. On oublie toujours de mentionner la personnalité des convives, élément combien plus important ! Mais Tania a raison en ce qui concerne l'alcool et l'accompagnement sonore : ce sont de bons moyens pour faire baisser le contrôle de soi, ils agissent comme des solvants sur les inhibitions de chacun. Une rencontre érotique est aussi une fête et, pour pouvoir trouver le rythme le mieux adapté, il est important de savoir se laisser aller. En effet, le temps qui abrite l'éros se situe dans le préconscient, en un espace où la vigilance est atténuée et où la réalité et les fantasmes se rencontrent naturellement. Oui, donc, à toutes les techniques de décontraction, du bain chaud et parfumé au dîner accompagné d'un grand millésime (attention, toutefois, au risque de somnolence !). Tout cela peut faciliter la bonne marche de la séduction. En revanche, je déconseille la fièvre produite par les excitants chimiques : l'utilisation de cocaïne peut permettre de se libérer sexuellement, mais l'expérience reste relativement anonyme et n'est pas nécessairement satisfaisante puisqu'elle ne s'intègre pas dans une véritable relation. Ce genre d'« éclate », à la sortie des discothèques, s'apparente davantage à une masturbation à deux qu'à une vraie rencontre érotique.

Musique d'alcôve

Quel est le bon rythme pour une rencontre entre les draps ? Outre la chanson nostalgique de « la première fois », j'aimerais suggérer quelques solutions de rechange. En Angleterre est sorti le premier disque compact de musique classique de boudoir dont le titre, *Orgasmes classiques*, ne laisse aucun doute. Il concentre soixante-dix minutes de Orff, Ravel, Wagner, Puccini et Tchaïkovski. On lit, dans le livret, que les moments les plus puissants et irrésistibles de ces compositions peuvent provoquer des sensations de dimension épique. Essayez pour voir : certaines recherches de laboratoire semblent confirmer que les effets de la musique classique sont réellement plus positifs que ceux du jazz ou du rock.

Les théories sur le sujet, cependant, sont des plus variées. Selon un physiologue du mouvement, le Romain Maurizio Ricciardi, qui est aussi un expert en musicothérapie, l'accompagnement sonore parfait doit inclure des slows des années soixante-dix, quelques musiques new age et du soft jazz [7] : ce sont les musiques les mieux adaptées pour influencer le cerveau et le prédisposer aux rythmes érotiques. Pour ma part, je dois avouer que je continue de préférer le torride *Boléro* de Ravel.

Quand l'esprit s'enflamme

Un tapis moelleux devant un feu de cheminée, pendant que dehors il neige... Qui n'a jamais eu ce fantasme (et l'a peut-être réalisé) ? De fait, la chaleur influe sur l'érotisme. Ce n'est pas un hasard si nous associons la sensation de chaud à l'idée d'intimité et si nous parlons d'« ardeur » ou d'« esprit enflammé ». Une température relativement élevée favorise l'exhalaison des parfums et des odeurs les plus intimes, facilite les regards et les caresses puisque les vêtements sont plus légers, transparents, ou même absents. Pendant l'amour également, la chaleur stimule l'ardeur sexuelle, même si cet effet semble concerner davantage les femmes que les hommes – la chaleur peut, en effet, agir comme vasodilatateur et provoquer une baisse de tension quand il ne faudrait pas. Le problème, c'est « après », quand même l'amour le plus ardent a besoin de se rafraîchir. Souvenez-vous des nuits d'été où il vaut mieux attendre minuit...

Le Tao de l'amour

Depuis que le chanteur Sting a fait savoir que les techniques de méditation tantrique lui permettaient de faire l'amour pendant cinq heures d'affilée, les philosophies orientales qui montrent la voie de l'extase jouissent d'un regain de popularité. Le Tantra, le Tao et le Kamasutra déjà célèbre sont porteurs d'une sagesse millénaire, qui voit dans le plaisir une « illumination », un chemin pour retrouver son identité et s'unir aux forces primaires du cosmos. Ils préconisent des exercices progressifs de respiration, le développement de la conscience sensorielle et de très lents massages. Leur but premier n'est pas d'assurer l'orgasme mais de permettre la « libération » de l'énergie sexuelle, pour atteindre l'extase. Évidemment, il n'est pas aisé d'intégrer ce type d'expérience dans l'emploi du temps frénétique des Occidentaux. Il faudrait savoir ralentir toutes les horloges qui commandent notre vie, et pas seulement celle qui gouverne le domaine sexuel. De ces sagesses anciennes, on peut au moins retenir une leçon : il faut savoir concéder plus de temps à l'érotisme si l'on veut l'apprécier vraiment, et non le reléguer à la fin d'une longue liste d'occupations et d'obligations. Ce que ne font pas les civilisations occidentales qui apprennent à comprimer le plaisir, pour le faire ensuite exploser de toute urgence. Tantra ou pas, pensez-y un instant : à quand remonte le dernier week-end que vous avez consacré entièrement et exclusivement à la personne que vous aimez ? Sans les enfants, les amis, la télévision ou la sortie culturelle ? Et quand le prochain week-end en amoureux viendra, pourquoi ne pas en profiter pour redécouvrir l'art des caresses, le plaisir des massages érotiques, des mouvements doux et lents, des gestes qui n'ont pas pour seul but de provoquer l'orgasme ? Autrement dit, pour retrouver un plaisir tactile moins rapide, comme le recommande aussi le psychologue Gérard Leleu, en expérimentant les caresses « en trait de plume », « en aile de papillon » ou « en sautillement de moineau » [8].

CHAPITRE VII

Vivre à deux

Autrefois, il existait des rythmes préétablis pour la vie conjugale. On suivait un rituel fixe comportant des échéances précises et alternant des phases longues et des phases brèves : il y avait d'abord la cour, interminable, faite à la jeune fille ; puis la demande en mariage, expédiée en quelques heures, suivie des fiançailles officielles, qui pouvaient durer plusieurs années, et, enfin, la grande cérémonie nuptiale. La lune de miel avait également une fonction temporelle bien définie, celle d'introduire les jeunes époux dans l'espace inexploré de la vie à deux. Alors commençait à proprement parler le temps conjugal où la sexualité, devenue légitime, avait une finalité presque exclusivement reproductive et devait servir à transformer aussi vite que possible le couple en famille.

Ce parcours bourgeois soigneusement balisé s'est défait en quelques décennies. Le couple, aujourd'hui, doit découvrir par lui-même ses temps propres, et la synchronie qui lui convient. La relation à deux, moins tributaire de rôles imposés, vise désormais à satisfaire en premier lieu les besoins affectifs des individus. Dans ce processus de « privatisation », les barrières sociales sont tombées, qui obligeaient chaque couple à suivre des temps établis. Comme le soulignent les sociologues allemands, Ulrich et Elizabeth Beck : « Dans la société moderne, le mariage est soustrait aux contraintes et aux exigences de l'ancienne économie familiale ainsi qu'aux liens que celle-ci constituait. Il est devenu, d'une certaine manière, " librement fluctuant " ; c'est un espace protégé de la vie privée, défini principalement comme communauté de sentiments et de temps libre. Un nouvel espace de liberté est né, ce qui signifie aussi, si l'on voit les choses dans l'autre sens, que le cadre extérieur qui servait auparavant de sécurité et d'appui fait de plus en plus défaut [1]. »

Le couple est « fluctuant », il doit trouver lui-même ses propres rythmes. Et ce n'est pas tout : une grande révolution est advenue dans le temps du sexe et de l'amour. Leur ordre de préséance s'est renversé à plus d'une reprise dans l'histoire. Suivant le modèle traditionnel, l'excitation sexuelle disposait d'un temps bref et la découverte de l'amour d'un temps long ; un certain nombre d'« écrans » étaient également prévus pour différer l'urgence du désir. Dans les années soixante-dix, le cœur a été supplanté : on s'est mis à considérer que le « rodage » sexuel était une nécessité pour éviter les décisions qui engageaient à vie alors qu'elles n'étaient fondées que sur la libido. Enfin, dans les années quatre-vingt, avec la diffusion du risque du sida, le choix inverse s'est une nouvelle fois imposé. La chasteté volontaire a fait des millions d'adeptes, en premier lieu aux États-Unis, avec l'apparition de l'*Abstinence Partnership*. Cette association, qui ne réunit pas moins de cent cinquante groupes, prône l'abstinence : « Les filles doivent apprendre à dire non et les garçons à ne pas demander », répète-t-elle. Le but visé est de réduire la propagation du sida mais aussi de prévenir les grossesses chez les mineures. De nos jours, le sexe se refait donc attendre et la cour passe avant : on reste vierge ou chaste jusqu'à la rencontre de l'amour. Cette tendance se manifeste aussi dans le recul de l'âge moyen des premiers rapports sexuels chez les adolescents qui est actuellement de dix-sept ans chez les filles et les garçons.

LE COUPLE EN FORMATION

« Des milliers et des milliers d'années
Ne sauraient suffire
Pour dire
La petite seconde d'éternité
Où tu m'as embrassé
Où je t'ai embrassée. »

Voilà, immortalisée par Jacques Prévert, la naissance du couple [2], cette « petite seconde d'éternité » qui se cristallise dans le souvenir. Mais, passé le premier baiser, c'est à chacun de trouver son chemin et de découvrir ses rythmes. Et très vite se pose le problème de la synchronisation des habitudes et des besoins.

Scénarios de rencontre

Rapidité ou lenteur ? Il y a des amours immédiates et des amours retardées, dont la déclaration conclut parfois des années de voisinage tiède. Entre le grand coup de foudre et la paralysie de l'engagement, il est difficile de faire un tableau unique de la naissance de l'amour. Certains amants se lancent fougueusement dans une nouvelle histoire ; d'autres sont retenus par les doutes et les hésitations ; d'autres encore interprètent hâtivement, et mal, les messages de leur partenaire. En général, le mode temporel oscille entre le « tout, tout de suite » et le « pas maintenant ». Dans la première catégorie, il y a Éléonore, trente-cinq ans, brillante manager, qui pense vite, agit vite et rivalise en permanence avec ses collègues masculins. Qu'elle séduit, d'ailleurs, en un tour de main et qu'elle défie même au lit, toute à la joie de les épuiser. L'accumulation de ces expériences répétitives ne réussit pourtant pas à combler sa vie : le temps du cœur est incompatible avec la rapidité qu'elle déploie dans ses rencontres sexuelles. Aujourd'hui, Éléonore voudrait se marier, mais ses trois dernières conquêtes sont des hommes irresponsables, qui ont miné sa confiance en elle.

Passons maintenant aux « pas encore ». Paul, psychologue réputé, est aussi capable d'aider les autres qu'il est incapable de voir clair quand il s'agit de lui. Alors que son travail consiste justement à analyser les facteurs de communication, il n'est pas encore parvenu à définir de recette idéale pour son couple. Il sait qu'une relation à deux serait intéressante d'un point de vue intellectuel, affectif et financier, mais il ne s'est pas demandé ce qu'il pourrait, lui, offrir à une femme. Cette attitude de comptable du cœur lui fait oublier que la vie n'attend pas : à cinquante ans, Paul n'a pas encore construit de couple solide et stable, et s'inquiète de voir la paternité repoussée dans un avenir lointain.

Il existe, depuis peu, un troisième type de scénario : c'est la rencontre virtuelle sur Internet. Beaucoup de jeunes gens naviguent nuit et jour dans le cyberespace où ils rencontrent, mais seulement sur écran, des centaines d'âmes jumelles potentielles. Une de ces histoires d'amour télématiques a donné lieu à un livre, qui raconte l'aventure authentique de Norman et de Monique [3]. C'est un roman épistolaire électronique via *e-mail*. Il habite à Los Angeles ; elle habite à Paris ; ils tombent amoureux sans s'être rencontrés ; un océan les sépare. « Trois mois de correspondance, huit semaines d'attente, douze heures de vol : les plus longues du monde », écrit-elle. La société télématique est en train d'inventer de nouveaux rythmes même pour l'amour.

L'attente

La principale difficulté dans la vie à deux réside dans la délicate synchronisation des attentes « progressives » et des attentes « régressives ». Les premières favorisent l'enrichissement individuel et permettent d'éviter que le couple ne ressemble à ce tombeau de l'amour qui caractérise le règne de la routine ; les couples progressifs, en outre, reconnaissent la nécessité d'un temps de mûrissement et d'évolution. Les couples régressifs sont, au contraire, poussés par l'impulsion inverse : ils vivent le changement comme un danger plutôt que comme une chance. Tout va bien, quoi qu'il en soit, tant que les perspectives des partenaires s'accordent. Mais quand des besoins de type progressif rencontrent des besoins de type régressif (ceux qui se marient pour « se caser » ou pour résoudre des problèmes avec leur famille d'origine), les difficultés commencent. Si l'un est progressif et l'autre régressif, si l'un accélère et l'autre freine, les temps du couple en viennent fatalement à s'opposer.

Au quotidien

Les habitudes de tous les jours composent un terrain de confrontations inévitables pour les jeunes couples. Car c'est une chose de se voir comme fiancés ou amants, le temps d'un week-end ou d'une nuit d'amour, et c'en est une autre de vivre ensemble et de découvrir, éventuellement, que les « horloges intérieures » ne sont pas accordées.

Hélène, graphiste de trente ans, n'est pas satisfaite de son compagnon : « C'est comme si je roulais en Porsche et qu'il essayait désespérément de me suivre en bicyclette. Le matin, par exemple, il me suffit d'une demi-heure pour prendre ma douche, m'habiller, mettre la table du petit déjeuner et décider de ce que nous mangerons le soir ; lui a tout juste eu le temps de se blottir sous les couvertures. Le soir, ce n'est pas le genre à attendre dans la voiture pendant que je finis de me préparer en catastrophe : il se demande encore la cravate qu'il va mettre quand je piaffe dans l'entrée depuis une bonne vingtaine de minutes. Au restaurant avec des amis, il est tellement distrait qu'il a tout juste fini l'entrée quand les autres en sont au dessert. Heureusement, nous avons *un* terrain de parfaite synchronisation, et c'est celui qui compte : le lit. »

Parfois, ce qui empêche la synchronisation du couple n'est pas le dérèglement des horloges intérieures mais le décalage des horloges extérieures. Ainsi en a-t-il longtemps été pour Fabienne et Luc. Quand il était journaliste pour un grand quotidien parisien, il ne rentrait jamais avant dix heures du soir, quand Fabienne, employée dans une grande société d'import-export établie en banlieue, dormait à poings fermés. Le matin, quand elle se levait vers six heures pour se rendre à son travail, Luc récupérait encore des fatigues de la veille. Le week-end, ils ne se voyaient pas plus : Luc n'avait presque jamais de temps libre ; son jour de repos tombait pendant la semaine quand Fabienne travaillait. Après quelques années de vie décalée, il s'est produit une sorte de cataclysme dans leur couple : dépression, larmes sans fin, éclipse du désir... Ces problèmes se sont heureusement résolus grâce à la thérapie de couple qu'ils ont entamée et qui a conduit Luc à changer de travail (c'est-à-dire de journal). La naissance de leur premier enfant va aussi, sans aucun doute, les aider à trouver un rythme de vie commun.

Il peut aussi suffire qu'un des partenaires se montre maladroit pour « désaccorder » le couple. Je regrette d'avoir à le dire mais, le plus souvent, c'est l'homme qui est en faute. L'empoté ne met jamais les pieds à la banque et ne sait pas gérer les comptes du ménage. Avec lui, les réunions de copropriété tournent au cauchemar. Quand la voiture fait un drôle de bruit, il ne sait pas où regarder. Il ne veut pas aller en vacances, parce que faire les valises et réserver une chambre d'hôtel sont au-dessus de ses forces. Bref, il se comporte en enfant ou en patron, mais jamais en adulte responsable de la gestion de son temps. Cette maladresse est le symptôme d'une crise plus générale : celle de l'homme qui a renoncé à vivre comme un homme [4].

J'aimerais conclure par une petite histoire, qui résume assez bien la difficulté de programmer les bons horaires pour se retrouver, dîner ensemble ou faire l'amour. Un cadre surmené déclare à la femme qu'il va épouser : « Ma chérie, je compte sur ton indulgence : le lundi soir, je travaille tard ; le mardi, je joue au tennis avec Jean-Pierre ; le mercredi, il y a le Rotary et le jeudi, en général, je suis en déplacement. Mais le vendredi, je te le promets, je serai à l'heure à la maison. » Et sa future jeune femme, apparemment très émancipée, de lui répondre : « Mon chéri, tu sais comment je fonctionne : à neuf heures du soir, j'ai besoin de faire l'amour. Tant mieux pour ceux qui sont là ; tant pis pour les autres ! »

Autres lieux, autres temps

Les variantes culturelles peuvent aussi renforcer les différences individuelles. Selon l'anthropologue Edward Hall [5], toute personne rompue aux séjours à l'étranger sait que pour communiquer, il faut maîtriser la langue, mais aussi connaître les usages du pays en matière de gestion du temps. Il est, d'ailleurs, extrêmement fructueux d'écouter et d'observer les rythmes sociaux. Dans cette « danse » de la vie, il y a les cultures « monochromes », très attachées à l'organisation spatio-temporelle, qui ne font qu'une chose à la fois, comme en Europe du Nord, et les cultures « polychromes », plus nombreuses dans le Sud, où les individus sont impliqués simultanément dans quantité de situations et de relations. Dans cette configuration plurielle, les couples ont plus de difficultés à synchroniser leurs habitudes de vie. Les choses les plus banales deviennent des problèmes : il n'y a pas d'heure fixe pour dîner, pas d'heure fixe pour se coucher. « Tout va bien entre nous, me disait Maria, une jeune Espagnole envoûtante et splendide qui avait épousé un Allemand. Je n'ai qu'un souhait, celui d'avoir, au moins une fois dans ma vie, le bonheur de me réveiller à côté de mon mari. En général, quand j'ouvre les yeux, il est déjà debout depuis une bonne heure. Heureusement, il a appris à m'apporter le petit déjeuner au lit ! »

Le partage de l'intimité

Chez les couples débutants, la mésentente peut prendre sa source dans une gestion différente de l'intimité. D'abord, les hommes ont un rapport moins immédiat à leur corps que les femmes. Ils ont besoin de la médiation du sport ou des soins corporels pour avoir des sensations physiques, ce qui explique qu'ils soignent leur musculature ou recherchent le mouvement et l'action. Ils sont aussi plus sensibles aux signaux « à distance » (aux signaux visuels, par exemple) alors que les femmes sont davantage absorbées par le monde intérieur des sensations et des émotions.

L'intimité verbale est une autre source de malentendus. La sociolinguiste américaine Deborah Tannen [6], qui a étudié la communication féminine, a montré que les femmes entretiennent un « tissu » affectif, fait de confidences et de longs récits détaillés, tandis que les hommes communiquent essentiellement pour échanger des informations ou donner des solutions. À la question rituelle qui salue le retour à la maison : « Alors, mon chéri, comment ça s'est passé aujourd'hui ? » l'homme va répondre par un bref : « Très bien, merci. » Et la femme reste sur sa faim. Parce que ce qu'elle aimerait, c'est savoir comment ça s'est *vraiment* passé, connaître tous les détails et entendre une longue histoire qui n'omet rien, même ce qui paraît insignifiant. C'est avec ce genre de petites choses que les femmes tissent l'intimité. Pour s'en convaincre, il suffit de les écouter bavarder dans l'autobus, chez le coiffeur ou au restaurant : elles ont de longues conversations intimes, où elles discutent de leurs émotions et analysent leur vie intérieure. Pendant ce temps, les hommes continuent, imperturbablement, de s'occuper de « faits » et de choses « extérieures » : du match de football, de leur voiture, de politique ou d'argent.

Quand c'est la guerre

On dit qu'un couple qui ne se dispute jamais est un couple à risques. Et c'est vrai, car cela veut dire qu'il ne saura pas surmonter une crise éventuelle. Du reste, se disputer fait du bien. Ce qui importe alors, c'est moins le conflit en lui-même que la capacité des partenaires à le gérer d'une façon qui ne soit ni trop inhibitrice ni trop brutale. Apprendre à se battre sans compromettre la relation est une forme de civilité et un test de coexistence sociale. Pour un jeune couple, il est capital d'apprendre à distinguer entre les prises de bec, sans gravité, et les crises profondes, et de trouver la meilleure manière de s'accommoder des différends qui, de toute façon, sont inévitables.

Il existe, en ce domaine, des mécanismes « classiques ». Certaines personnes sont colériques, égocentriques et tyranniques : elles ne supportent aucune frustration. Elles idéalisent souvent leur partenaire et finissent déçues et pleines de rancœur, une fois leurs illusions envolées, ou bien sont incapables de sortir honorablement d'un conflit. L'éducation familiale, l'école, le sport pratiqué avec des camarades du même âge enseignent à contrôler son agressivité. On y apprend à distinguer entre la pensée, la parole et l'action : à ne pas lâcher de méchancetés gratuites, même quand on a des bouffées de violence, ou à exprimer son désaccord sans en venir aux mains, comme des automobilistes surexcités.

Seulement voilà, nous ne nous disputons pas tous de la même manière. Dans un couple, il peut arriver que l'homme soit prêt à faire la paix et la femme trop furieuse pour y songer, ou inversement. Avec les années, on peut apprendre à connaître les rythmes d'agressivité de son partenaire, mais cela n'est pas toujours très utile.

Patrick et Patricia, par exemple, sont déjà venus me voir deux fois, sans que je parvienne à comprendre leur problème : ils avaient à peine mis le pied dans mon cabinet qu'ils se disputaient déjà. À la troisième phrase, Patrick a élevé la voix et, à la quatrième, Patricia est sortie précipitamment pour effacer le mascara qui avait coulé avec ses larmes. Après quoi, elle n'a pas voulu revenir et a affirmé qu'elle se sentait mal. Plus tard, elle a téléphoné à ma secrétaire pour dire que son mari était méchant et qu'il l'énervait tellement qu'elle en perdait tout contrôle. Toute consultation en couple était donc vouée à l'échec. L'irascibilité de l'un et l'hystérie de l'autre rendaient impossible le moindre travail d'élaboration à partir des dissensions existantes. Chez Patrick et Patricia, les cris et les larmes servent à éviter que la parole ne puisse produire son effet apaisant. Ce jeune couple ignore aussi que, dans une dispute, seul le moment final compte vraiment : il faut savoir finir un conflit et bien faire la différence entre le pardon sincère et la trêve sur fond de ressentiment et de rancœur.

Terminer une dispute au bon moment est très important pour les couples débutants, comme pour les couples qui se séparent, d'ailleurs. Mais il faut bien dire que nous n'avons pas tous cette merveilleuse plasticité des hommes politiques, qui savent créer des oppositions et, très vite, les oublier pour former des alliances, auparavant totalement exclues.

Comment donc définir la « bonne dispute » ? Selon les psychologues Dean Delis et Cassandra Philips [7], il faut apprendre à discuter sans accuser et en évitant les habituelles manœuvres agressives : culpabiliser l'autre ou s'enfermer dans un silence hostile, par exemple. Selon ces spécialistes, le dîner aux chandelles serait la meilleure formule pour restaurer une intimité en péril. Je ne suis pas tout à fait d'accord. Dans les faits, la plupart des conflits ne se résolvent pas à table, mais au lit. Un sondage a été réalisé sur la meilleure manière de faire la paix. Un bon tiers des personnes interrogées ont répondu : « faire l'amour » ; un quart préférait s'en sortir par l'humour et dix pour cent par la discussion. Parmi les stratégies les moins appliquées, il y avait le cinéma, la sortie avec des amis ou le silence jusqu'à ce que l'autre cède. Quand on compare les réponses des deux sexes, on constate que les femmes croient plus au pouvoir de la parole et les hommes aux vertus de l'humour et que le sexe demeure, pour ces derniers, la principale manière de mettre fin à un conflit [8]. Certains sexologues sont d'ailleurs allés jusqu'à affirmer que les couples se disputaient exprès, pour pouvoir ensuite se raccommoder !

Public et privé

Trouver à harmoniser le temps public et le temps privé est un enjeu crucial pour les couples en formation. Certains donnent beaucoup de place et consacrent beaucoup d'efforts à leurs carrières : ils reportent à plus tard leurs ambitions plus intimes, comme d'avoir un enfant. Leur univers domestique est plutôt froid, ménageant peu d'espaces de rencontres et multipliant, non pas les objets personnels, mais les appareils électroménagers ou de haute technologie (de l'ordinateur à l'antenne parabolique). Un autre modèle de couples donne la priorité à l'espace privé, vivant lentement et intensément. Leur maison est un refuge, un cocon chaleureux, un port sûr : une maison-carrefour plutôt qu'une maison à compartiments, où seraient associés l'utilitaire et le sociable. C'est d'ailleurs la maison idéale dont rêvent les jeunes.

Il y a un problème, évidemment, quand une personne qui aime la chaleur et l'intimité, recevoir ses amis ou se consacrer à son couple, rencontre une seconde moitié tout entière tournée vers sa carrière, qui ne sait pas cuisiner et ne revient jamais avant dix heures du soir : très vite, le temps public et le temps privé en viennent à s'opposer. La situation est plus grave encore, quand il s'avère que l'un des deux ne veut pas s'impliquer, au-delà d'une certaine limite, dans sa vie de couple et va chercher dans le sport, les amis ou le travail de plus grandes satisfactions : celui-là inflige à l'autre ses propres rythmes professionnels et sociaux.

LE COUPLE QUI DURE

Je commencerai par un ensemble de questions, et j'attends de vous des réponses franches. Cherchez bien dans votre mémoire. Quand avez-vous, pour la dernière fois, écrit une lettre d'amour ? Quand avez-vous surpris la personne que vous aimez par un cadeau inattendu (et pas au moment de son anniversaire ou de Noël !) ? Et quand avez-vous, vous-mêmes, été pour la dernière fois l'objet de pareilles attentions ? Ce ne sont pas des questions anodines. Essayez de répondre et vous saisirez combien est importante l'innovation et la surprise pour un couple qui veut durer. Innover dans la continuité, voilà le secret.

Lié à ce principe, souvent préconisé et rarement appliqué, je souhaiterais remettre à l'honneur une dimension quelque peu négligée, la routine. J'ai déjà rappelé l'idée de Jedlowski [9] selon laquelle seul le citadin obtus voit dans le temps quotidien une suite d'obligations matérielles et de répétitions moroses. En vérité, la vie de tous les jours est bien plus ample et plus riche : elle comporte une dialectique entre les moments ordinaires et les moments exceptionnels, avec des pics de grand bonheur, des abîmes de désespoir et de larges vallées de normalité réconfortante. Les petits rites qui scandent la vie conjugale (le petit déjeuner ou la soirée passée ensemble à lire sur le canapé) peuvent donc être vus comme une routine ennuyeuse ou comme l'essence de la vie commune. Le secret, c'est de faire place dans le quotidien à cette complicité qui est le vrai ciment de la vie à deux, en dépit des désaccords éventuels dus aux rythmes de chacun. On peut rappeler ici un exemple emblématique. Anna, la seconde femme de Dostoïevski, a raconté dans son journal qu'elle allait se coucher longtemps avant le grand écrivain russe. Celui-ci ne la rejoignait que vers trois ou quatre heures du matin pour lui souhaiter une bonne nuit : « Ce sont alors, écrit-elle, de longues conversations, des paroles tendres, des sourires, des baisers et cette demi-heure, cette heure entière parfois, est le moment le plus émouvant et le plus joyeux de la journée [10]. » Même si elle était profondément endormie et qu'elle peinait, ensuite, à retrouver le sommeil, elle aimait ces rencontres nocturnes où leurs deux rythmes s'épousaient, soudant la complicité de leur couple.

Savoir profiter des rythmes décalés de la vie commune est l'autre secret des couples qui durent. Toutefois, il existe des mécanismes moins pacifiques, qui entraînent une gestion conflictuelle du temps. En voici quelques exemples.

La question du travail

Nous avons vu comment le travail frénétique et le « syndrome des heures supplémentaires » avaient une incidence forte sur la vie de couple, volant des heures précieuses à la famille et à l'amour et transformant le domicile conjugal en une sorte de paratonnerre du stress professionnel. Le temps du travail croît démesurément et envahit toujours plus l'espace privé.

Mais les périodes de chômage exercent aussi une influence négative sur le couple. Elles agissent principalement sur le désir, sans forcément atteindre la relation. C'est le résultat d'une recherche menée par l'Institut de médecine sociale et préventive de Zurich, qu'on peut aussi aisément appliquer à la France. Chez une personne sans emploi, apparaissent, outre la dépression, divers symptômes psychosomatiques (tachycardie, brûlures d'estomac, mal de dos, insomnie), lesquels sont précédés par trois signes d'alerte : la fatigue, le manque d'appétit et la chute du désir sexuel. Les hommes sont le plus vulnérables. Certains souffrent d'impuissance après avoir été licenciés : avec leur travail, ils ont perdu, symboliquement, leur virilité. Le chômage devient une maladie honteuse, qu'il faut cacher. Chez d'autres, la peur engendrée par la perte ou l'absence de travail semble provoquer l'épuisement des batteries personnelles. Le stress lié à la recherche d'un nouvel emploi laisse peu de temps et peu d'envie pour le désir amoureux : ce n'est pas un problème d'érection, mais de désir. Chez les femmes, le stress occasionne également une baisse de la libido. S'il est vrai qu'elles savent mieux « remplir » leur temps en dehors du travail, en se consacrant à leur maison ou à leurs enfants, elles éprouvent aussi une angoisse que les hommes ne connaissent pas : celle de se sentir « renvoyées » au foyer, alors qu'elles ont souvent dû beaucoup batailler pour obtenir un travail rémunéré et un statut social. L'anxiété est d'autant plus grande qu'il est, encore aujourd'hui, plus difficile pour une femme de retrouver un emploi. Le chômage de longue durée, très répandu en France – la barre du million a été franchie à la fin de l'année 1993 –, touche fréquemment des femmes mariées de plus quarante ans : ce sont elles qui ont généralement le plus de mal à se réinsérer sur le marché du travail [11].

Toutefois, si la perte d'un emploi peut provoquer une crise du désir, elle n'entame pas nécessairement le couple. Au contraire, elle le resserre souvent. L'absence de travail de l'un des partenaires oblige le couple à redéfinir les rôles et à modifier des habitudes qui étaient en train de tuer l'amour. Certains, face au risque du chômage, forment une nouvelle alliance contre l'ennemi commun. La rencontre de l'adversité peut ainsi favoriser la réapparition de l'intimité affective.

Contrôle ou maîtrise ?

Le test psychologique de Rotter qu'on appelle *locus of control* est très souvent employé en médecine pour tester la différence entre le contrôle et la maîtrise. Certaines personnes ont un contrôle très faible de leurs instincts et sont entièrement déterminées par la réalité extérieure : elles mangent, par exemple, parce que c'est l'heure à laquelle elles sont habituées à manger, pas parce qu'elles ont faim. Ces mêmes personnes ne parviennent pas à se contrôler lorsqu'elles sont sous l'empire d'une forte charge émotive. Cette incapacité est aussi un motif de troubles psychosomatiques aigus (crises d'asthme d'origine non allergique, par exemple). Quand la peur se transforme en anxiété et l'anxiété en panique, il n'est plus possible de se contrôler : la peur de la peur provoque, pour finir, une panique paralysante.

Il peut aussi arriver que certaines formes de dépression inhibent le contrôle alors que les mêmes situations étaient, auparavant, parfaitement dominées. Christiane, diabétique de cinquante ans, a été hospitalisée d'urgence en raison d'un coma hyperglycémique, causé par un excès de sucre dans le sang. Pendant longtemps, elle a suivi un régime alimentaire compatible avec les injections d'insuline. Mais la mort de son petit chien – elle y tient tellement qu'elle l'a fait empailler – l'a abattue. Totalement déboussolée, elle s'est mise à boire régulièrement de grandes rasades d'orangeade, oubliant que c'était proscrit et dangereux : avec la dépression, la prudence et le contrôle de la maladie avaient cédé.

Il s'agit bien sûr d'un couple un peu particulier (Christiane et son petit chien), mais chez les couples plus normaux, le « lieu de contrôle » peut également être un excellent indicateur d'harmonie ou de risque latent. Ainsi, certains restent ensemble à cause d'un très fort contrôle extérieur, familial ou social, qui dicte à chacun son rôle. Ceux-là sont des couples à risque, en dépit d'une apparente harmonie, parce qu'ils ne sont pas encore passés du contrôle à la maîtrise, laquelle permet de définir, de façon autonome et personnalisée, des règles familiales.

Face aux coups

Les couples violents suivent un cycle qui peut se poursuivre pendant des dizaines d'années. Le plus souvent, l'homme hurle, frappe et va parfois jusqu'à l'abus sexuel tandis que la femme pleure en silence. Il jure, le jour suivant, que cela ne se reproduira plus, et tout recommence.

Ce rythme cauchemardesque est souvent ponctué d'appels à l'aide, auprès d'un conseiller conjugal, d'un service d'assistance ou de la police. Ces tentatives n'aboutissent à rien, parce que la victime retourne à son bourreau. C'est l'histoire de Nathalie et Noël.

Noël est un jeune mari tyrannique qui oblige sa femme à se soumettre à ses rythmes et à ses besoins, même dans les choses les plus banales de la vie. Nathalie doit, par exemple, regarder le programme de télévision qu'il a choisi et rester pour lui tenir compagnie. Si elle se « défile », il la frappe. La situation s'est fortement aggravée depuis la naissance de leur enfant, parce que leur fils pleure, évidemment sans se soucier des humeurs de son père. Quand cela se produit, Noël essaie d'abord de le faire taire en lui mettant un biberon dans la bouche ; lorsqu'il n'en peut plus, il commence à le secouer violemment. C'est un cas caractérisé de mauvais traitement sur une personne mineure et Nathalie s'est décidée à venir me voir pour protéger son enfant. Le récit qu'elle me fait témoigne, de sa part, d'une perception totalement distordue de la réalité et de la personnalité de son mari : elle minimise les torts qu'elle subit quand Noël la frappe et l'oblige à faire l'amour. Comment expliquer cette acceptation de la violence ? Nathalie vient d'une famille difficile et a été abusée sexuellement quand elle était plus jeune. Avec sa sœur cadette, qui avait connu le même traitement, elles ont porté plainte et leur père a été inculpé et condamné à deux ans de prison. Aujourd'hui, si Nathalie n'accepte pas la violence exercée contre son fils, elle la supporte, en revanche, quand il s'agit d'elle : tout vaut mieux que la solitude et la violence de Noël n'est rien en comparaison de ce qu'elle a subi enfant. On peut donc craindre qu'elle n'en vienne, petit à petit, à « érotiser » cette violence et qu'elle ne tombe dans une spirale masochiste. Quoi qu'il en soit, après notre première entrevue, Nathalie disparaît avec son enfant. Il n'est pas rare dans ce type de pathologie que les alliances sadomasochistes se reforment rapidement, empêchant toute intervention extérieure. Il faudra donc trouver un prétexte pour entrer de nouveau en contact avec Nathalie : l'assistante sociale fera sans doute état des mauvais traitements encourus par l'enfant pour solliciter l'intervention de la justice dans la vie privée de cette famille.

La projection dans l'avenir

Le futur est l'horizon du couple. On se bat, on construit, on supporte, on rêve, pour être ensemble demain. Mais qu'arrive-t-il quand il n'y a pas d'avenir ?

Liliane a vingt ans et m'est envoyée par son gynécologue. Elle attend un enfant d'un homme marié et souhaite le garder. La grossesse, m'explique-t-elle, n'est pas un accident : André lui avait promis de quitter sa femme, France, mais il ne l'a pas fait. Devant ses dérobades, elle a d'abord fait une tentative de suicide très spectaculaire, puis elle est tombée enceinte. J'apprends que les parents de la jeune femme, et pas seulement le gynécologue, sont favorables à un avortement. Mais ni Liliane ni André ne veulent en entendre parler. La rencontre avec le futur papa est une scène haute en couleur. André est un rêveur impénitent, qui vit probablement de petits trafics de drogue, en attendant l'héritage de son père, millionnaire alcoolique, qui lui permettra de partir s'installer aux Caraïbes avec France, Liliane et tous leurs enfants. Il se dit très hostile au modèle occidental de civilisation et rêve d'une vie tribale qui lui permettrait de régner en chef pacifique et débonnaire. Cet exotisme romanesque masque toutefois une situation sinistre : il n'y a pas seulement le père d'André qui boive, sa mère aussi est alcoolique et multiplie, depuis des années, les cures de désintoxication. Par ailleurs, France s'est confiée à Liliane et lui a raconté comment elle aussi avait été maltraitée lorsqu'elle était petite fille. Ces deux femmes partagent donc non seulement le même homme, mais aussi un lourd passé. Dans ce clan, ce n'est pas la vie sexuelle qui s'en trouve perturbée, mais le rapport à la réalité. La rencontre d'André et de Liliane unit deux irresponsables, incapables de maîtriser leur avenir. Le temps est compté pour ce couple, où prédominent les fantasmes de fuite.

LE COUPLE QUI MEURT

« C'était mon Nord, mon Sud, mon Est, mon Ouest,
Ma semaine de travail, mon repos du dimanche,
Mon midi, mon minuit, ma parole, mon chant [12]. »

Ce magnifique incipit du poète W. H. Auden exprime tout le désespoir d'un amour perdu : c'est l'amour qui donne un sens aux journées, un rythme au monde, et fait avancer les aiguilles de la montre. Lorsque la personne aimée disparaît, la terre arrête de tourner, et la douleur est indicible.

La même douleur, assourdie, survient quand la personne aimée cesse d'aimer. Le couple alors meurt, choisit de se séparer ou divorce : cela arrive de plus en plus fréquemment et, depuis vingt-cinq ans, l'instabilité du mariage s'est accentuée en France comme dans les autres pays occidentaux. Mais il y a aussi des couples qui meurent mais ne se séparent pas et restent ensemble par peur, par habitude ou par résignation. Examinons donc les facteurs temporels qui détruisent la vie à deux.

Arythmie interne

Cécile a trente-six ans et me consulte à propos d'une colite due au stress et à une relative insatisfaction dans sa vie privée. Elle est mariée à Guy, avec qui elle s'entend bien, au moins sur un plan intellectuel. Affectivement et, surtout, sexuellement, leurs rapports sont tendus, car ils ne parviennent pas à accorder leurs rythmes et leurs désirs. Guy est resté très attaché au vieux stéréotype qui reconnaît à l'homme seul le droit de désirer et de décider : pour lui, une femme doit seulement être « mise en route », comme une voiture. Il ne supporte donc pas quand Cécile prend les devants. Celle-ci a fini, petit à petit, par perdre tout plaisir et en est, aujourd'hui, à simuler l'orgasme. À la responsabilité objective de Guy s'ajoute la difficulté, chez Cécile, à atteindre un orgasme partagé. Déjà avec ses précédents partenaires, elle avait du mal à s'abandonner dans l'échange amoureux. C'est ce qui explique qu'elle ait décidé de se concentrer sur sa carrière et sur les secteurs qu'elle peut contrôler. Dans l'ensemble, Cécile est une personne satisfaite, épanouie, même si elle a tendance parfois à confondre l'action et l'activisme stérile : la preuve en est fournie par ses crises de colite et par le stress continuel qui l'amène à fumer. Dans ses fantasmes érotiques, Cécile s'imagine comme une chatte longuement caressée ; elle rêve qu'on s'occupe d'elle, ce qui ferait disparaître les obstacles à son plaisir. Pour le moment, elle n'y parvient pas, par excès de vigilance et de contrôle : elle ne trouvera le plaisir que lorsqu'elle consentira à s'abandonner à ses fantasmes et à la rencontre avec l'homme qu'elle aime.

La difficulté à harmoniser les rythmes du désir et du plaisir est également à l'origine des problèmes qui minent la vie de Pierrot et de Diane. Ils ont quarante ans l'un et l'autre, vivent ensemble depuis douze ans et ont deux filles qui grandissent dans une atmosphère chaleureuse et libérale. Mais si leur vie familiale est sereine, leur sexualité est perturbée par les pulsions violentes qu'ils éprouvent l'un envers l'autre. L'attirance sexuelle a été très forte au début. Puis, Pierrot a manifesté de nouveaux désirs, voulant dominer Diane et expérimenter le rapport anal. Le mélange d'excitation et de fureur l'entraîne souvent à éjaculer trop tôt, ce qui laisse Diane insatisfaite. Elle aimerait plus de temps, plus de plaisir et moins de violence. Elle voudrait faire l'amour comme elle mange, en savourant chaque instant. La violence du comportement sexuel de son mari réveille en elle d'anciennes craintes, liées à un père impulsif et violent. Pierrot agit comme un enfant qui n'obtient pas de réponse à ses demandes : quand son désir n'est pas partagé par Diane, il fait l'amour trop vite, mêlant l'excitation et la rage. Si la précipitation de Pierrot vient de son agressivité et de son incapacité à se retenir, la lenteur de Diane s'explique probablement par la méfiance. Pour le moment, leurs rythmes respectifs sont inconciliables.

Arythmies externes

Il arrive aussi que des événements extérieurs et imprévus viennent briser l'équilibre fragile du couple. L'histoire de Gilles compte plusieurs accidents de la sorte. À cinquante ans, cet avocat marié et père de deux enfants travaille dans le stress, multiplie les aventures d'un soir et entretient, aussi, une relation extra-conjugale forte et déstabilisante. Il vient me voir parce que, depuis un an, il a du mal à se maintenir en érection, en particulier les soirs où il a prévu de faire l'amour avec sa femme. Nous écartons très vite une éventuelle cause physique, puisqu'il a des érections matinales normales. Au cours de notre entretien, Gilles m'apprend qu'il a consulté un urologue, lequel lui a prescrit des injections de prostaglandine. Il a pu avoir des érections prolongées, mais il a préféré arrêter le traitement, car il ne se sentait pas normal. S'il reconnaît volontiers l'origine psychologique de son trouble, il refuse, en revanche, de faire la moindre association avec son passé.

Voilà vingt-six ans qu'il est marié maintenant, me raconte-t-il. Avant son mariage, il travaillait dans une autre ville que sa future femme et il revenait la voir le week-end. Il leur arrivait souvent, à cette époque, de faire l'amour deux fois par jour. Depuis qu'il est marié, son besoin de plaire et de séduire a quasiment disparu. Juste après leur voyage de noces, sa femme a commencé à regretter son choix ; aujourd'hui, elle se plaint parce qu'ils ne font pas assez souvent l'amour. De fait, Gilles a toujours eu une libido conjugale très basse. Il a très vite multiplié les aventures, mais sans jamais découcher. La crise s'est déclenchée il y a quelques mois, quand le cabinet où il travaillait a déposé son bilan et qu'il a dû se mettre à la recherche d'un nouvel employeur. En même temps que ce premier choc, et peut-être pour l'atténuer, il a une nouvelle aventure, pour se rassurer. Mais cette fois, il n'a pas réussi à cacher l'histoire à sa femme. Dès lors, la situation a empiré : à l'émoussement déjà ancien du désir se sont ajoutés les problèmes d'érection, qui sont dus en grande partie à la méfiance de son épouse : en effet, celle-ci le surveille constamment, et attribue toute défaillance érotique à l'autre femme !

Gilles me paraît être un Casanova plutôt gentil, qui a un grand besoin de plaire. Son narcissisme fragile a été mis à mal par ses problèmes professionnels, et cet enfant de cinquante ans a confessé ses mauvaises actions à sa femme, comme si c'était sa maman, pour se débarrasser de son anxiété. L'épisode, cependant, semble avoir déséquilibré le couple, peut-être pour toujours.

Le jour des adieux

La palme de la rapidité revient au beau et ténébreux Daniel D. Lewis, qui a envoyé un fax à Isabelle Adjani pour lui dire qu'ils se séparaient (alors qu'elle attendait un enfant). Pareille hâte de rompre est excessive. Lorsqu'un couple meurt, la séparation doit se faire selon un certain rythme. Il faut éviter les raccourcis qui portent au malentendu et créent de l'hostilité, sans tomber dans la lenteur pathologique due aux inhibitions, à l'ambivalence ou à la peur. De même qu'il y a des divorces éclairs et des couples qui se marient et se séparent dans l'année, ajoutant à un mariage superficiel un deuil affectif mal préparé, il y a des divorces continuellement repoussés et des couples qui se quittent, se reprennent et disent, avec un rien de satisfaction dans la voix : « Cela va faire cinq ans que nous essayons de nous quitter. »

Le secret est de se séparer « avec panache », comme le recommande la psychologue Donata Francescato dans un livre fondamental pour comprendre le mécanisme de la rupture [13]. Sur ce point, l'attitude des femmes a beaucoup changé. Aujourd'hui qu'elles sont plus autonomes et plus responsables, elles demandent très souvent le divorce dès qu'elles s'aperçoivent que leur histoire est morte. Exception faite pour les « vestales du passé » : celles-ci sont incapables de renoncer à un mariage même malheureux et subissent une décision dont elles ne veulent pas, rendant plus difficile, et plus long, le processus de séparation.

De leur côté, les hommes se divisent en deux catégories : les « chevaux au galop » et les « dinosaures de l'amour » [14]. Les premiers oublient vite et repartent hardiment : ils enchaînent, sans apparemment souffrir, les mariages, les cohabitations et les séparations, tandis que les seconds, nostalgiques et liés au passé, restent souvent seuls. Quoi qu'il en soit, ce sont certainement les hommes qui refont le plus vite leur vie (et rebâtissent une famille). Dans une des études les plus intéressantes sur le divorce, celle de la psychologue américaine Judith Wallerstein, plusieurs couples ont été suivis pendant les dix années qui ont suivi leur séparation. Les femmes avaient quarante ans et plus au moment du divorce. Dix ans après, elles ne s'étaient pas remariées, même si certaines avaient un compagnon. En revanche, la moitié des hommes avaient formé une nouvelle famille [15].

D'un point de vue psychologique, les divorces, comme les conflits, sont liés à la capacité à vivre, comme une perte partielle et, néanmoins, supportable, un deuil affectif ou une séparation. Les enfants de couples séparés semblent mieux supporter ce processus que leurs parents. Donata Francescato, après avoir enquêté sur les raisons de la mort d'un amour, a cherché à comprendre ce qui se passait *après*. Ses conclusions sont optimistes : il suffit, en fait, que les anciens conjoints se souviennent qu'ils restent parents [16]. Ils peuvent alors former des familles élargies et reconstituées, véritables « laboratoires sentimentaux » de demain. Mieux vaut donc une séparation rapide qu'une longue cohabitation risquée ou un gel affectif : les avocats en charge d'affaires matrimoniales ne manqueraient pas de le dire.

LE COUPLE DU FUTUR

Quels changements vont affecter le couple au tournant du prochain millénaire ? Ma pratique professionnelle m'amène d'ordinaire à rechercher des explications dans le passé ou à conseiller de vivre plus intensément dans le présent. Pour cette fois, je me risque à faire quelques hypothèses sur l'avenir du couple.

Couples sans enfants (et enfants sans sexe)

Le sexe et la procréation vont sans doute se disjoindre de plus en plus. Dans les trente dernières années, nous sommes passés du sexe sans enfants (grâce à la contraception) aux enfants sans sexe (grâce à la fécondation *in vitro* pour les couples stériles). Le nombre d'enfants « nés du froid », et non d'un rapport amoureux, va sans doute augmenter. Comme la conception a de grandes incidences démographiques et économiques, elle restera inéluctablement sous le contrôle des pouvoirs publics. Le couple du futur devra alors rendre des comptes sur ses projets procréatifs, comme c'est le cas, dès aujourd'hui, en Chine. En échange, l'éros deviendrait plus libre, ni son caractère subversif, ni l'hypothèse de Wilhelm Reich selon laquelle la libération sexuelle déclencherait la révolution politique n'ayant été vérifiés.

Couples « libérés »

Aujourd'hui, le couple n'a plus de finalité reproductrice : il peut très bien décider de ne pas se transformer en famille. Il s'est donc affranchi de la plupart des schémas traditionnels et, notamment, de celui de la compatibilité d'âge. Il fut un temps où un homme relativement âgé, encore fertile et plutôt aisé, avait « à sa disposition » une femme plus jeune qui recevait protection et sécurité en échange de sa fécondité. Aujourd'hui, tout cela n'a plus de raison d'être, et on voit souvent des couples où l'homme est le plus jeune. De même, les couples homosexuels sont unis par des raisons sexuelles ou affectives, et non en vue d'avoir un enfant. Il est très probable que ce genre d'unions augmente dans les années à venir.

Couples en relais ou en archipel

D'après la futurologue Faith Popcorn [17], la famille d'élection va remplacer la famille biologique. Ainsi vont se répandre les « couples en relais », typiques de la culture anglo-saxonne, qui enchaîneront les histoires d'amour exclusives, et les « couples en archipel », de type méditerranéen, menant de front plusieurs histoires distinctes, telles ces grandes îles entourées d'îlots et de récifs. Enfin, il y aura les couples intimistes, privilégiant la relation à deux, et d'autres ne vivant bien que s'ils sont intégrés dans des clans ou des groupes plus larges.

Couples reproducteurs et couples consommateurs

Selon une hypothèse plus sombre, il se pourrait qu'apparaisse une organisation politique avec une répartition rigide des rôles, comme celle qu'on observe chez les fourmis ou les abeilles. On aurait alors des couples reproducteurs, des couples ouvriers, des couples de consommateurs et même des couples de jouisseurs. Ils seraient soumis à des modes d'imposition et de retraites distincts, ce qui pourrait éventuellement permettre aux gouvernements de réduire la dette publique...

Couples spirituels

Enfin, après une période cynique et matérialiste, je pense qu'on reviendra à une religiosité diffuse et à une plus grande spiritualité. La décision de vivre ensemble retrouvera une dimension sacrée, qui ne sera pas nécessairement liée à la religion catholique. Peut-être est-ce la civilisation orientale qui donnera une nouvelle stabilité et un nouveau souffle au couple du futur.

CHAPITRE VIII

Le corps et ses rythmes

La hâte et la lenteur ont-elles des bases génétiques ? L'impatience, la précipitation, l'immobilisme que nous avons étudiés aux chapitres précédents sont-ils inscrits dans notre ADN ? Nous avons dit que le rapport que nous entretenons au temps était influencé par des facteurs sociaux et psychologiques, mais il existe un autre paramètre important, une autre grille de lecture fascinante : la chronobiologie, qui tient compte du temps *dans* le corps, *à travers* le corps. La science de la chronobiologie montre qu'il y a une base biologique inscrite dans notre patrimoine génétique, dans nos cellules, qui détermine notre comportement et notre « structure » temporelle.

GÉNÉTIQUE ET CHRONOBIOLOGIE

C'est en observant du mimosa, dont les feuilles ont pour caractéristique de répondre à un stimulus sensoriel par de petits mouvements, qu'un homme de science, Jean-Jacques d'Ous de Mairan, réussit en 1729 l'une des premières expériences de chronobiologie. Il enferma plusieurs tiges de mimosa dans une boîte, qu'il plaça dans le noir. Il constata alors que le même phénomène se produisait et que les feuilles continuaient de s'ouvrir et de se refermer sans l'incitation du soleil, dans la plus complète obscurité. Cela signifie que les rythmes biologiques sont génétiques. Ils sont inscrits en nous, comme dans le mimosa, depuis des millénaires. Nombre d'expériences ont confirmé par la suite ce principe. Parmi elles, on peut retenir cette curieuse anecdote. Chaque jour, à la même heure, un scientifique suisse passionné d'apiculture avait pris l'habitude de manger de la marmelade au milieu de la verdure touffue qui entourait son chalet. Cette habitude n'avait pas manqué d'éveiller la curiosité de ses abeilles. Plus tard, ce scientifique partit s'installer en Amérique et les emmena avec lui. Avec stupeur, il découvrit que les abeilles, à la sortie de la ruche, partaient à la recherche de la marmelade. Il fut plus surpris encore de constater qu'elles le faisaient indépendamment du soleil et de la lumière, mais en fonction de leurs rythmes internes : les abeilles en étaient restées à l'heure suisse...

L'horloge interne

On pensait jusqu'à présent que la dimension fondamentale du corps humain était celle de l'espace ; mais nous ne sommes pas des systèmes uniformes, nous sommes aussi faits de temps. En nous, divers rythmes coexistent de façon concomitante. Toutes nos fonctions vitales (tension artérielle, rythme cardiaque, sécrétions hormonales, température du corps, activité des cellules cérébrales) obéissent à un mouvement cyclique, régulier et précis, et sont synchronisées entre elles par une sorte d'horloge biologique interne. Elles suivent un rythme particulier en chacun d'entre nous, avec un pic maximal et un seuil minimal pour un laps de temps donné : jour, mois, année... Ces fonctions vitales sont à leur tour soumises à l'influence d'agents extérieurs qu'on appelle « synchronisateurs » – la lune, le soleil, l'alimentation – qui ont pour fonction d'accorder notre rythme interne à l'environnement.

Pourtant, même si le soleil disparaissait de notre horizon, nos rythmes internes ne changeraient pas, comme l'a montré l'expérience menée sur des personnes soumises pendant plusieurs mois consécutifs à un isolement complet dans une grotte souterraine. Toutefois, dans ces conditions extrêmes, les fonctions biologiques se dissocient et opèrent chacune pour son compte : la tension artérielle ou l'alternance de la veille et du sommeil ne sont plus synchronisées et passent, en termes scientifiques, dans un état de *free running* (cours libre). Suivant l'hypothèse de certains scientifiques, le retour à la normale se ferait grâce à l'effet d'entraînement du rythme le plus lent, le rythme mensuel, qui s'imposerait aux autres.

Ces expériences d'isolement volontaire ont été menées dans la grotte de Frasassi, dans la région des Marches où l'on a construit un laboratoire souterrain, Underlab 2, qui ressemble à une base spatiale. En 1995, Cristina Lanzoni y a passé neuf mois toute seule, suivie par trois caméras qui observaient les réactions de son corps dans cet environnement privé d'horloge, de lumière naturelle et de tout repère temporel. Cette expérience a été si fascinante que Cristina l'a répétée en 1996, pour deux mois cette fois, en compagnie du spéléologue Maurizio Montalbini. C'était la toute première tentative d'isolement d'un couple. L'élément le plus remarquable dans cette expérience de vie souterraine tient à la modification de la perception des journées : le couple restait souvent éveillé quarante à cinquante heures d'affilée.

De même, l'expérience, plus facile à réaliser, du décalage horaire permet de constater les troubles accompagnant le passage à un autre fuseau horaire, à l'occasion, par exemple, d'un voyage de Paris-New York. Si on se sent déphasé, c'est parce que les rythmes internes continuent de fonctionner et demeurent tributaires d'une autre horloge, celle du pays qu'on vient de quitter. Il faut plusieurs jours pour revenir à l'état normal : si la régularité de la veille et du sommeil est vite rétablie, les effets sur la tension artérielle demandent, en revanche, environ deux semaines avant de s'effacer. Un des métiers où tous les rythmes sont perturbés est évidemment celui des hôtesses de l'air. Leur cycle menstruel s'en ressent et on a même constaté plusieurs cas d'infécondité qui se résolvaient d'eux-mêmes à condition que les hôtesses qui souhaitaient avoir un enfant restent au sol pendant un certain temps.

Dernièrement, on a beaucoup parlé de la mélatonine, ce produit « miracle » qui permettrait, entre autres, de surmonter les décalages horaires sans peine. En réalité, cette protéine produite par la glande pinéale et liée aux champs électromagnétiques ou lumineux est encore à l'étude. Comment peut-on imaginer qu'une seule molécule suffise à rétablir la synchronie d'un système si complexe ?

Les jours et les saisons

Pour concevoir la diversité des rythmes biologiques de nos corps, on peut penser aux ondes sonores : quand nous écoutons un morceau de musique, les sons les plus forts en masquent d'autres. Il y a donc plusieurs oscillations concomitantes, dont nous ignorons la « centrale de commande ». Actuellement, aucune région anatomique n'a encore été découverte qui serait le siège unique de la régulation du temps. Mais quels sont les rythmes principaux inscrits dans notre corps ?

Le rythme journalier ou circadien est le plus intense et le plus visible. On le nomme ainsi à cause de l'expression latine *circa diem* qui signifie « autour du jour ». Il dure, en effet, près de vingt-quatre heures et comprend l'alternance de la lumière et de l'obscurité, de l'activité et du repos ainsi que de fortes variations hormonales. Il n'apparaît pas chez le nouveau-né qui se plie à l'heure de repas imposée par la mère. D'après les recherches de l'Anglais James Waterhouse, de l'université de Manchester, les bébés prématurés ne sont soumis qu'à des rythmes hebdomadaires : le rythme circadien ne s'impose qu'après le troisième mois suivant la naissance [1].

Le rythme hebdomadaire joue, par exemple, dans les performances sportives et les contrôles scolaires.

Le rythme mensuel ou lunaire est, par excellence, celui du cycle féminin. Il est pourtant présent chez l'homme, puisqu'on a observé chez des sujets masculins des variations mensuelles de la tension artérielle et du rythme cardiaque. En 1647 déjà, un homme épris de science et répondant au nom de Sartorius avait remarqué les fluctuations mensuelles de son poids en montant chaque jour sur une balance.

Le rythme saisonnier lie le corps au cours des saisons.

Les rythmes plus longs, annuels ou même quadriennaux, ont été identifiés par les études menées sur des examens réguliers d'urine ou de poids. Ces résultats ont été confirmés par Bob Sothern, scientifique américain qui a mesuré sa propre tension, jour après jour, pendant plus de vingt ans et qui en a également conclu qu'elle variait suivant des rythmes annuels et même quadriennaux.

Enfin, il existe aussi des rythmes plus brefs que le rythme journalier, des rythmes qui peuvent durer trois heures ou vingt minutes, ou seulement quelques secondes comme dans les battements cardiaques.

Le réseau formé par ces différents rythmes diffère-t-il chez la femme et chez l'homme ? Assurément, parce que, dans le corps féminin, le rythme mensuel est très fort : c'est le cycle de l'ovulation qui domine et entraîne les autres. Il serait d'ailleurs intéressant d'étudier les effets de la pilule contraceptive dans une perspective chronobiologique. On pourrait mettre en évidence les conséquences produites par la suppression du cycle naturel des hormones, qui est mensuel, sur tous les autres rythmes du corps. La situation est, en effet, comparable à celle d'un océan dont les fortes marées seraient éliminées : quel effet cela produirait-il sur la faune et la flore marines ?

De même, il serait très intéressant d'essayer d'analyser les conséquences sur le corps féminin du rétablissement du cycle mensuel par les traitements hormonaux de la ménopause. On trouverait probablement que ce rythme mensuel est un élément aussi important que les effets bénéfiques, pour les os et le cœur, du remplacement hormonal.

La bonne heure pour se soigner : la chronothérapie

L'existence de ces rythmes divers mais concomitants nous permet de comprendre que nous sommes faits de temps, et pas seulement de matière. S'il n'y avait en nous ces variations de rythmes, nous ne pourrions pas vivre. Si le pH des sucs gastriques (leur degré d'acidité) ne variait pas, notre estomac brûlerait ; si notre tension était toujours constante, nous serions en danger. Cela se produit, d'ailleurs, dans un grave trouble qui survient parfois au moment de la grossesse, la gestose. Cette maladie, on le sait à présent, s'aggrave lorsqu'une tension, déjà forte, ne change pas en fonction des différents moments et ne montre aucune variation entre le jour et la nuit : elle est stable, et c'est justement cette stabilité qui constitue un signal d'alarme.

Toutes ces variations dans le temps, qui se font suivant des rythmes propres à chacun d'entre nous, peuvent être mesurées et fournir des informations entièrement neuves sur notre santé et, en premier lieu, sur la possibilité de guérir un patient en indiquant l'heure appropriée pour l'administration des soins. De fait, on voit se développer aujourd'hui, aux côtés de la chronobiologie, la toute récente chronothérapie, qui est étudiée tout spécialement en France par l'endocrinologue Yvan Touitou[2]. Cette discipline a prouvé que notre sensibilité aux médicaments variait suivant les moments de la journée, c'est-à-dire que le même médicament (même l'aspirine), prescrit en dose identique mais à des heures différentes, pouvait avoir des résultats très différents ! Les écarts sont particulièrement marqués dans les traitements du diabète et de l'hypertension, mais le stress aussi est dépendant du temps. Le fondateur de la chronobiologie moderne, Franz Halberg, de l'université du Minnesota, l'a démontré dans une curieuse étude : il a mesuré, à différentes heures de la journée, les répercussions qu'une visite chez le dentiste, événement toujours déplaisant, produisait sur la tension. Comme pour les médicaments, le stress, selon l'heure à laquelle il survient, peut avoir des effets négatifs, nuls ou bénéfiques, le tout dans certaines limites, bien entendu.

Le matin n'a que l'éros à la bouche

Mais ce qui nous intéresse le plus, dans ce livre consacré au temps et à l'amour, c'est la chronobiologie « érotique » : existe-t-il une heure idéale pour faire l'amour ? D'après une étude américaine, elle se situerait vers les neuf heures du matin, moment où la testostérone, hormone sexuelle la plus active chez les sujets masculins, atteint un pic : le corps masculin se trouve alors idéalement « préparé » pour l'amour [3]. Encore faut-il se trouver au bon endroit et avec la bonne personne à cette heure-là ! Et pour les femmes, qu'en est-il ? Rien de sûr en ce domaine : pour certaines, le meilleur moment est en milieu de cycle, lors de l'ovulation ; pour d'autres, c'est juste avant les règles. Preuve que chez l'être humain le désir est tout autant conditionné par la chimie que par le fantasme ! En outre, quand un couple vit ensemble depuis plusieurs années, les rythmes des deux partenaires entrent souvent en syntonie, chacun influençant l'autre.

Et le mois le meilleur pour faire des enfants ? Le nombre de conceptions augmente plutôt au printemps et en été, peut-être parce que la lumière agit comme un antidépresseur efficace et rend plus actif, plus entreprenant, et plus fécond.

Peut-on être s'affranchir du temps biologique ?

Nous nous écartons souvent des rythmes biologiques, en prenant la pilule, en subissant un décalage horaire mais aussi en allumant simplement la lumière, quand vient le soir. L'éclairage électrique nous permet (ou nous impose) de nous désolidariser du rythme jour/nuit, veille/

sommeil. Pouvons-nous affirmer que dans notre société actuelle nombre de troubles, y compris d'ordre psychologique, sont liés à une désynchronisation générale ? Je le pense. Mais je suis aussi persuadé que l'idée de se libérer du temps biologique est dû au grand espoir que nourrit l'humanité, celui de réduire le vieillissement. Mais si en matière alimentaire nous savons que ce sont les sucres qu'il faut combattre, les chercheurs peinent encore à déterminer les facteurs biologiques qui pourraient contribuer à réduire le vieillissement. Est-il envisageable, comme dans les contes, que nous puissions vivre jusqu'à l'âge de cent vingt ans ? Ou bien nous faudra-t-il méditer cette affirmation plutôt pessimiste du psychologue Giorgio Abraham : « Ils nous avaient promis une jeunesse éternelle mais, en vérité, nous ont seulement aidé à prolonger la vieillesse » ?

La part de masculin et de féminin

Si la chronobiologie ne peut nous dévoiler tous les arcanes du désir, nous pouvons réintroduire un autre rythme cyclique, qui a son importance dans la vie d'un couple. C'est le rythme oriental du yin et du yang, cette oscillation qui définit en nous une part féminine et une part masculine. Son principe a été décrit par l'un des pères de la psychanalyse, Gustav Jung.

J'aimerais rappeler ici un exemple significatif de la manière dont le masculin et le féminin (*animus* et *anima* dans la terminologie de Jung) peuvent agir même sur les caractères les plus rigides et créer en eux des réactions suivant des temps variables. Dans le roman *Les Fiancés* d'Alessandro Manzoni [4], L'Innommé fait enlever Lucia par des braves pour satisfaire Don Rodrigo. L'Innommé est un homme sans âme dont la vie est tout entière occupée par des activités et des passions viriles : puissance, défi, violence. Il enlève Lucia, mais peu à peu sa part féminine, qu'il récuse, commence à circuler dans son inconscient.

L'idée de poser ses mains sur cette paysanne ne lui procure plus le goût sauvage et voluptueux de la vengeance, mais fait naître en lui un sentiment proche de la terreur. C'est la rencontre avec l'*anima* qui se profile. À l'intérieur du mâle courageux et féroce, la part la plus féminine émerge à présent, avec ses aspects troublants. Au début, L'Innommé veut se défaire de Lucia ; puis il cherche à lui redonner courage. Même le Nibbio affirme qu'il aurait préféré la tuer de dos, sans voir son visage : autrement, comme il arrive avec le « syndrome de Stockholm », se développe une relation affective avec l'otage. Quand un homme se laisse prendre par la compassion, il n'est plus simplement un homme, il devient un être humain : après la rencontre avec l'âme, la passion sort de son isolement « machiste » et cherche le sens de l'existence. Le roman de Manzoni se poursuit et, après la brèche ouverte par l'*anima* de Lucia, survient l'épisode de la fête des habitants de la vallée, qui vont à la rencontre du cardinal Federico Borromeo : L'Innommé se met à la file et demande, lui aussi, à parler à son éminence. Ainsi, peu à peu, sortant de sa personnalité exclusivement masculine, L'Innommé donne un nouveau sens à sa vie : il n'est plus puissant et solitaire, il s'ouvre désormais à la richesse des échanges humains.

Avec les mouvements de libération féminine, les femmes se sont approprié l'*animus* et certaines des caractéristiques avantageuses du temps masculin, comme la faculté de synthèse et la rapidité d'action. La même chose est advenue à l'homme, qui a découvert les rythmes plus instinctifs du corps et du cœur. Le roman *Les Fiancés* nous montre que l'intimité, plus que la génitalité, est la voie royale de la rencontre des deux sexes, à condition que l'homme renoue avec le temps de l'*anima*.

QUAND LA JOURNÉE EST RENVERSÉE :
LE PEUPLE DE LA NUIT

Il y a des personnes dont l'horloge interne est réglée sur un autre temps : ce sont les noctambules, ceux qui doivent travailler après minuit (chauffeurs de taxi, médecins de garde, disques-jockeys) ou qui préfèrent simplement vivre dans ce territoire anonyme, parce qu'ils s'y sentent plus libres et plus créatifs. Dans ce cas, il y a parfaite adéquation entre les rythmes du corps et le conditionnement psychologique et culturel. Pour l'écrivain Alfred Alvarez, l'obscurité est vraiment l'ultime frontière, sur un plan physique et psychique. Accompagnant une patrouille de police, Alvarez décrit minute par minute la vie nocturne d'une grande métropole comme New York et Londres [5]. Et s'interroge : faut-il voir dans la nuit, et tout ce qui l'accompagne, une fuite hors de la vie diurne, une interruption ? Ou bien la corrige-t-elle, la continue-t-elle ? C'est peut-être une *autre* vie, éventuellement plus productive, et plus vraie... Je crois volontiers que, d'un point de vue psychologique, la nuit peut être aussi bien amie qu'ennemie et on peut rappeler avec Cioran que « les nuits où nous avons dormi sont comme si elles n'avaient jamais été. Restent seules dans notre mémoire celles où nous n'avons pas fermé l'œil : *nuit* veut dire nuit blanche [6] ».

L'obscurité amie

Pour certains, la nuit est une fuite loin du travail, des conflits sordides ou insolubles : c'est le moment où l'on peut s'abandonner au repos. Pour d'autres, c'est un moment actif, de recherche plutôt que d'évasion. Bien des écrivains et des artistes trouvent une stimulation supplémentaire dans la venue de la nuit : les idées y deviennent « transparentes » à mesure que le monde gagne en opacité. Pendant la journée, les stimuli, les expériences s'accumulent ; avec le coucher du soleil vient le temps de la synthèse.

Personnellement, comme j'ai une tension basse, je ne suis pas à mon meilleur niveau de lucidité aux premières heures du jour. C'est aussi la raison pour laquelle j'ai renoncé à devenir chirurgien : les opérations, pour de mystérieuses raisons, étaient toujours fixées à sept heures du matin !

Mais la nuit est surtout le moment où l'éros se réveille et autorise la transgression. L'obscurité n'est pas insondable, mais elle est ambiguë, comme un vêtement transparent sur une femme belle, qui dissimule en même temps qu'il laisse voir. C'est le moment des rêves, des fantasmes qui se réalisent ou s'imaginent, de l'abandon dans les draps aux caresses de la personne aimée.

L'ennemi est tapi dans l'ombre...

Déjà nos ancêtres des cavernes craignaient avec la nuit que le soleil ne disparaisse à jamais. C'est le moment où l'ennemi caché peut surgir de l'ombre, à l'improviste, comme le prédateur dans la jungle. C'est la frontière que les personnes gravement malades ont du mal à franchir : « s'ils passent la nuit... ». C'est la zone franche des cauchemars, des rêves récurrents et terrifiants qui troublent le sommeil, des angoisses, des soucis qui nous poussent à nous retourner dans le lit, yeux grands ouverts. Pour le couple aussi, la nuit peut se changer en un territoire inquiétant quand un des conjoints ne rentre pas. C'est également un lieu de torture quand, de retour chez soi, commencent les discussions violentes et les disputes. Ce pourrait être le moment de l'intimité, des confidences mais, souvent, la promiscuité inévitable apporte plus de conflits que de tendresse. Et même si l'on parle beaucoup de harcèlement sexuel au bureau, c'est encore de nuit que sont commis le plus d'abus sexuels, à l'intérieur comme à l'extérieur des maisons.

LE TEMPS PRESSE !

Nous bataillons toujours contre le temps mais, hélas, le temps presse et nos tentatives pour contrôler les rythmes de la nature et du corps, bien souvent, sont vouées à l'échec. Car il y a des situations où les mois et les années coulent comme le sable entre les doigts et il nous est impossible de reculer les aiguilles du temps. Les hommes et les femmes sont pareillement concernés, mais l'existence d'un temps biologique plus marqué chez la femme explique que les exemples ci-dessous la mettent très souvent en scène.

Une subite envie de se marier

Bien des hommes, arrivés à l'âge de quarante ans, commencent à regarder autour d'eux à la recherche d'une femme responsable qui remette un peu d'ordre dans leur vie... et dans leur tête. Les vieux garçons irréductibles, de leur côté, sont invités à « se caser ». Mais ce sont les femmes surtout qui, tout à coup, semblent prises d'une subite inquiétude : le besoin presque physique de se marier.

L'histoire de Céline en est une illustration. À trente et un ans, malgré son intelligence et son charme, Céline n'arrive pas à se trouver un mari. À Annecy, où elle vit, on ne comprend pas qu'une fille aussi éveillée puisse devenir si maladroite dès qu'il s'agit d'amour. Déjà cinq prétendants se sont lassés de lui faire la cour. Pourtant, Céline aimerait tant trouver l'homme qu'il lui faut ! Elle aspire à une relation solide et sécurisante ; elle voudrait une famille à elle. Quand elle regarde ses amies mariées avec leurs enfants, les larmes lui viennent aux yeux. Elle s'est donc décidée à suivre une thérapie. Pendant notre entretien, aucun signe de trouble de l'identité ou de névrose expliquant sa difficulté à s'accomplir dans sa vie sentimentale n'apparaît. Mais, soudain, Céline me parle de son père. C'est un homme angoissé et envahissant, totalement dépendant de sa famille. Sa femme a très vite choisi de s'éclipser, et elle est affectivement absente de la maison, préférant se consacrer au bridge ou au golf. Céline reste donc avec son père, par un sens inconscient du devoir : elle est convaincue que la première des priorités qui lui incombent est d'aider son père. Outre ce rôle de fille qu'elle exécute avec dévotion, elle tient aussi celui de la confidente et de la gouvernante, ensemble de fonctions qui s'expliquent par son esprit « croix-rouge » très prononcé mais qui lui vole tout son temps et toute son énergie. À cause de cela, elle ne parvient pas à se sentir libre et disponible affectivement : c'est l'unique raison du sabotage quasi volontaire qu'elle pratique lors des différents projets matrimoniaux. Céline doit en fait s'affranchir des restes d'une névrose infantile et de sa dépendance inconsciente à l'égard du modèle familial. Après quoi, comme elle est charmante et intelligente, elle devrait réussir à rattraper le temps perdu et à satisfaire sans peine son désir légitime d'un amour tout à elle. Pour le moment, je cherche à la persuader de prendre un peu ses distances avec la maison et d'aller à l'étranger, en se servant de l'honorable prétexte d'une promotion professionnelle.

Le temps des bébés

Quand faut-il faire un enfant ? Quel est le bon moment ? Cette question tourmente des milliers de couples parvenus à l'âge critique, c'est-à-dire entre vingt-cinq et trente-cinq ans. Il semblerait que la réponse doive être « jamais » ou « plus tard », si l'on observe le taux de fécondité qui s'est stabilisé depuis plusieurs années à un niveau assez bas, entre 1, 7 et 1, 8. Eh oui ! Nous faisons de moins en moins d'enfants mais, surtout, nous les remettons toujours « à plus tard » : l'enfant tardif reste alors, inéluctablement, un enfant unique. Dans les pays occidentaux, les enfants nés par hasard ou par accident sont beaucoup plus rares de nos jours : les naissances sont le plus souvent voulues et désirées. Ce sont même des naissances décidées, programmées, retardées pour des raisons personnelles, financières ou sociales, qui s'opposent parfois à « la loi du désir ». Un enfant, certainement, mais pas tout de suite : « Quand on sera sûr de pouvoir lui donner tout ce dont il a besoin, et plus. Sans nous priver de rien, sans trop se limiter dans la vie. La jeunesse est l'âge des expériences, dans le travail et dans la vie privée ou affective. Ce sont les femmes surtout, aujourd'hui, qui ont tendance à remettre à plus tard la naissance de l'enfant, jusqu'aux limites de l'âge fécond, quand la biologie féminine dicte sa loi : c'est maintenant, ou jamais [7]. »

Et que se passe-t-il alors ? Sans doute y a-t-il des jeunes gens de vingt ans qui prévoient avec un peu trop d'avance le moment de la grossesse et confient leurs enfants à de jeunes grands-parents, au demeurant ravis de se charger de ce rôle. Mais, souvent, les jeunes femmes ont tendance à différer leur grossesse jusqu'à la date fatidique de leurs trente-cinq ans : elles veulent alors se marier à tout prix et avoir un enfant très vite. Si leurs tentatives se révèlent infructueuses dans les premiers mois, commencent les pèlerinages répétés chez le gynécologue ou dans les centres spécialisés dans le traitement de la stérilité, pour recourir à des techniques plus ou moins artificielles de procréation assistée.

De plus en plus de couples sont en effet victimes du mirage de l'enfant-éprouvette, parfois dans l'idée d'assainir une situation conjugale problématique. C'est le cas de Sandrine et Marc, quarante ans l'un et l'autre et mariés depuis treize ans. Marc, qui est bijoutier, aime bien faire le Don Juan lors des réceptions et des cocktails mondains où il se rend pour son travail. Sandrine est un peu sa boussole : ils partagent une maison, le confort et les soucis de la vie quotidienne. Il n'y a qu'un problème : insensiblement, la tendresse a pris le pas sur l'érotisme et ils font de moins en moins l'amour. Sandrine n'a pu mener à terme aucune grossesse, mais tous deux souhaitent un enfant. Surtout Marc, qui rêve de donner un petit-fils à ses parents, auxquels il est tendrement attaché. Comme ils sont inquiets, Marc et Sandrine se soumettent à des examens de contrôle, et on diagnostique une stérilité du couple sans raison organique apparente. Entre-temps, Marc reprend un ancien flirt et la femme, qui se retrouve enceinte, décide de garder l'enfant. C'est une grave erreur : non seulement Sandrine se sent blessée par la trahison amoureuse, mais elle vit encore plus mal l'impossibilité d'avoir un enfant. Elle menace son mari de demander le divorce, alors qu'il a besoin d'elle comme le navire d'un port. Puis, dans un second temps, elle accepte de tenter une insémination artificielle. L'entreprise échoue deux fois en un an et Sandrine est encore plus désespérée qu'avant. Il faut rappeler que le taux de réussite de cette opération oscille entre vingt et vingt-cinq pour cent : cette technique met parfois un terme à des situations dramatiques, mais qui se soucie des soixante-quinze pour cent de couples auxquels elle n'a pas permis d'avoir un enfant et que cet échec risque de mettre en péril ?

On peut rappeler une autre incohérence, celui des « mariages blancs », où des couples mariés dans les règles ne font pas l'amour, parce que l'homme souffre d'impuissance ou la femme de vaginisme. Plutôt que de chercher une aide psychologique pour résoudre ce problème de chasteté subie, il arrive que ces couples se rendent chez le gynécologue et demandent un bébé-éprouvette. Et vite, parce que les années filent.

En dehors de ces cas extrêmes, on peut dire que, passé l'âge de trente-cinq ans, le temps du contrôle des naissance fait place au temps de la fécondité. Et s'il arrive au corps de ne pas obéir, voilà que les esprits s'émeuvent, stupéfaits et anxieux. Pensons aux diverses réactions face au retard des règles : si la femme a peur d'être enceinte, le temps qui précède l'arrivée des règles semble un supplice interminable ; si, au contraire, elle veut un enfant, le même retard est fêté dans la joie.

On rencontre parfois une ambivalence identique quand

le test de grossesse se révèle positif. Certaines femmes qui désirent ardemment un enfant sont prises d'angoisse à partir du moment où elles se découvrent enceintes. Ce cas se présente quand la conception arrive « trop vite », sans laisser un temps de répit entre le désir et sa réalisation. C'est l'expérience qu'a faite Laurence. À trente-quatre ans, après un beau mariage et un début de carrière brillant dans le marketing, elle décide que le moment est venu d'avoir un enfant. Elle arrête de prendre la pilule et, aussitôt, se découvre enceinte. Plutôt qu'une bonne nouvelle, c'est un choc : pendant plusieurs semaines, elle ne fait que pleurer et songe même à se faire avorter. En fait, Laurence a eu sa grossesse trop vite, et dès qu'elle a pu donner à son désir d'être mère le temps de s'épanouir, tout est revenu à la normale. Aujourd'hui, elle attend son second enfant.

Voyons encore ce qui peut arriver dans un couple, lorsque deux temps différents entrent en conflit dans l'acceptation de la grossesse. Carine, vingt-neuf ans, est une Parisienne très alerte. Serge, son fiancé de vingt-sept ans, est un Bordelais timide et introverti. Ils vivent ensemble depuis plusieurs mois quand survient une grossesse non désirée. La cause en est probablement un préservatif défectueux. Serge aimerait garder le bébé, Carine s'y oppose. Depuis un mois, les disputes se multiplient avec, d'un côté, Serge fermement décidé à ne pas renoncer à l'enfant et, de l'autre, Carine tout aussi résolue à ne pas se laisser « piéger ». Carine m'explique qu'elle n'aime pas suffisamment Serge, qu'elle a l'impression que cette maternité lui est imposée et que cette grossesse l'empêcherait, d'ailleurs, de partir aux États-Unis compléter ses études. Serge, fils d'une mère célibataire, qui est parvenue à l'élever sans trop de difficultés, se « reconnaît » dans cet enfant qui n'est pas encore né : il pense souvent, me confie-t-il, qu'il ne serait pas de ce monde si sa propre mère avait avorté. Il projette ainsi sur la grossesse de Carine sa propre raison d'exister. Faire évoluer la situation me paraît très difficile. Si le couple choisit l'avortement, il y aura une rupture sentimentale.

Mais si l'enfant naît, Carine se sentira prisonnière d'une famille qu'elle n'a pas souhaitée. Et, comme il arrive souvent, ce sera l'enfant, le plus faible élément de cette relation triangulaire, qui en souffrira le plus.

En règle générale, ce sont plutôt les hommes qui fuient à l'annonce d'une grossesse, comme dans l'histoire de Pierre-Émile et de Lisa. Il se présente à la consultation, parce que sa fiancée, enceinte « par erreur », veut mener à terme sa grossesse. C'est un couple orageux qui s'est déjà séparé au moins cinq fois. Pierre-Émile est un Savoyard de vingt-neuf ans, et Lisa une jeune femme de vingt-deux ans d'origine espagnole. Quand Pierre-Émile l'amène au deuxième entretien, elle reste murée dans un mutisme obstiné. Lui cherche à mener la discussion et à convaincre le médecin qu'il vaut mieux interrompre la grossesse : Lisa a été enceinte deux ans plus tôt et a avorté en cachette ; cette fois, elle veut garder l'enfant. La situation est très délicate. Lisa est issue d'une famille immigrée très modeste qui ne peut l'accueillir avec son enfant. Pierre-Émile, de son côté, ne se sent pas prêt à devenir père. Il entretient, aussi, des relations conflictuelles avec son propre père qui lui a toujours répété, sur un ton sans appel, qu'il n'était pas « à la hauteur ». Faire un enfant dans ces conditions, ce serait comme lui donner raison et l'interruption de grossesse lui paraît la seule solution raisonnable. Lisa a une vision des choses très différente : pour elle, cet enfant est une bouée de sauvetage providentielle qui peut donner un sens à sa vie future. Comment lui donner tort selon le cœur, mais comment approuver son choix avec la raison ? Ils ont au moins quelques mois devant eux et la psychothérapie les aidera peut-être à mettre un peu d'ordre. Mais, face à une grossesse conflictuelle, le temps presse et dicte en tyran. Dans de telles situations, le thérapeute le plus compétent se sent, malheureusement, souvent impuissant.

La décision d'avorter

Dans les quelques semaines où il est possible de décider d'avorter, on voit clairement combien le temps conditionne les choix fondamentaux de la femme et du couple. Dans pareilles circonstances, le temps presse, comme l'ont déclaré les mille femmes qui ont accepté de participer à mon enquête *Le Sens de l'avortement* [8].

L'avortement est une décision très éprouvante que, heureusement, de moins en moins de femmes sont obligées de prendre : le nombre d'IVG est en baisse sensible ces dernières années et, contrairement à ce que certains pouvaient craindre, son remboursement à quatre-vingts pour cent par la Sécurité sociale n'a pas entraîné d'augmentation brutale des demandes. Voyons, toutefois, par l'examen de deux cas cliniques, comment le temps peut agir sur une femme en pleine confusion et indécise.

Laurence a quarante-deux ans. Elle est enceinte pour la quatrième fois. Son dernier enfant, né avec une malformation cardiaque inopérable, est mort quelques heures après sa naissance. La nouvelle grossesse est tout à fait inattendue. Laurence souhaiterait garder cet enfant pour surmonter le précédent traumatisme, mais elle craint que cette grossesse tardive ne fasse qu'aggraver une situation personnelle et familiale déjà difficile. Son mari ne l'aide pas et la laisse se débrouiller avec « ses » responsabilités. À la suite de notre premier entretien, Laurence décide d'avorter et, ensuite, de se faire stériliser. Que s'est-il passé ? Sans doute a-t-elle compris qu'une grossesse ne doit pas servir à compenser une déconvenue précédente et qu'un enfant ne peut pas en remplacer un autre.

La situation de Maud est très différente. Elle a à peine seize ans et se présente à la consultation vêtue de façon très sérieuse pour son âge. Elle se comporte d'ailleurs comme si elle avait dix ans de plus. Elle a un retard de règles de deux semaines, mais ne devrait pas être enceinte puisqu'elle prend la pilule. Mais comme elle a été soignée récemment avec de la cortisone, il est possible qu'il y ait eu une interaction médicamenteuse. Et c'est ce qui s'est produit. Après la confirmation du test de grossesse, Maud revient pour une seconde entrevue. Cette fois, elle est accompagnée de sa mère. Elle me raconte que ses parents sont divorcés : sa mère s'est remariée et a eu récemment un enfant ; son père aussi a une nouvelle compagne, qui a deux enfants en bas âge. C'est donc une famille reconstruite et élargie, apparemment chaleureuse et accueillante. Pourtant, la mère réagit assez vivement au problème de sa fille : elle ne pourra pas l'aider, dit-elle d'un ton sec ; il vaut mieux que sa fille renonce à cette grossesse, ce que pense aussi Éric, l'ami de sa fille et le père de l'enfant. Maud pleure. Peu à peu, nous comprenons que son malaise est très profond. Sa grand-mère, à laquelle elle était extrêmement liée, est en train de mourir d'une tumeur au cerveau. Dans ce contexte familial difficile, la perspective d'avoir un enfant produit, sans doute, sur Maud l'effet d'un antidépresseur. Son refus d'avorter est une réaction instinctive de défense face au vide qu'elle sent s'élargir autour d'elle. D'autre part, l'envie que montre sa mère de vouloir « clore l'incident » lui donne l'impression qu'elle doit, une fois de plus, subir les décisions des autres, comme cela s'est déjà produit au moment du divorce de ses parents. Il fallait aider cette adolescente en crise à imaginer sa maternité. Après quoi, celle-ci a eu la force de renoncer à cette grossesse accidentelle sans perdre la capacité de s'imaginer mère, à un moment plus favorable.

Les bouleversements de la ménopause

Autrefois, on prétendait que la femme de cinquante ans entrait en dépression au moment de la ménopause parce que celle-ci coïncidait avec le « syndrome du nid vide » : les grands-parents, âgés, mouraient ; les enfants quittaient la maison, et le mari, absorbé par sa carrière, était négligent ou carrément absent. Aujourd'hui, il semblerait qu'il faille renoncer à cette vision des choses : on parle plus volontiers de « nid trop plein » que de « nid vide ».

À quarante-cinq ans, Michelle croyait enfin qu'elle allait retrouver une plus grande autonomie, mais elle a encore plus de contraintes familiales qu'avant. Sa fille Sylvie ne paraît pas du tout pressée de partir : elle finit lentement et paisiblement ses études à l'université et ramène tous ses amis et ses petits copains à la maison. En plus de son travail d'architecte, Michelle doit aussi s'occuper de ses propres parents : sa mère a soixante-quinze ans et son père soixante-dix-huit ; tous deux ont une santé fragile mais qui ne justifie pas un placement dans un hospice. Ils restent donc à la charge de leur fille, qui doit les soigner et, aussi, les distraire. Or Michelle avait toujours pensé qu'elle pourrait se consacrer à sa grande passion, les voyages, quand sa fille serait majeure. Elle ne peut pas se décharger sur son mari, très pris par sa vie professionnelle, qui considère qu'il accomplit son devoir en étant présent et en subvenant aux besoins de toute cette tribu : pour rien au monde, il ne renoncerait aux sorties avec les copains et aux parties de tennis le week-end. Loin de faire l'expérience du nid vide, Michelle se sent sur le point d'étouffer dans un nid trop plein. Elle s'évade en nourrissant des fantasmes régressifs, dans lesquels elle imagine qu'on s'occupe d'elle. Elle a même failli céder aux avances d'un fournisseur de meubles, un jeune artisan qui lui a manifesté un intérêt insistant et qui éveille peut-être, chez elle, une certaine curiosité sexuelle.

Le temps de survivre

Béatrice, à trente-trois ans, refuse de faire l'amour avec son mari pour des raisons qui semblent à première vue inexplicables. Cherchant à comprendre ce qui lui arrive, nous en venons à parler de son passé. Béatrice a eu une vie triste et tourmentée. C'est une personne fragile, influençable et très dépendante. Elle est parvenue à avoir davantage confiance en elle en s'occupant de personnes malheureuses et « abîmées ». C'est ainsi qu'elle a rencontré, il y a plusieurs années, Thierry, toxicomane. Par amour pour lui, elle a plongé dans l'univers de la drogue : il l'a persuadée qu'il fallait qu'elle essaie l'héroïne pour vraiment le comprendre et l'aider. Béatrice a accepté et Thierry lui a fait sa première injection. Il s'est ensuivi une période de déchéance sociale ; puis, comme c'est souvent le cas, l'héroïne a provoqué la détérioration de leur vie sexuelle. Béatrice fait un premier pas vers la guérison en entrant dans une secte religieuse, qui parvient à la désintoxiquer sans médicament. Mais l'année suivante, elle rechute et tombe dans l'alcoolisme. Deux ans plus tard, elle rencontre son mari actuel : il a vingt-deux ans, c'est un immigré clandestin qui aimerait obtenir une carte de séjour. Poussée par sa mentalité d'aide-soignante, Béatrice cherche à l'aider. En moins de deux ans, les voilà mariés. Quand ils décident d'avoir un enfant, elle découvre qu'elle est séropositive. Elle recommence à boire et tout son comportement est une tentative d'autodestruction. Béatrice m'explique qu'en découvrant sa séropositivité, elle s'est sentie sexuellement bloquée. Mais son mari, irrité et irritable, veut faire l'amour souvent, sans toujours se protéger. C'est tout le contraire de ce qui arrive d'ordinaire : en général, c'est la personne saine qui se bloque et qui perd tout désir, par peur d'être contaminée. Béatrice, elle, se sent devenue une femme-objet et trouve son mari peu compréhensif. Mais le problème sexuel pour lequel elle est venue consulter passe désormais au second plan, après celui de sa survie. La séropositivité est en train de se développer en sida déclaré et les réactions immunitaires sont à présent précaires. L'accentuation des mécanismes de sabotage vient aussi du fait que le temps de survie est en train de se réduire.

Les problèmes de santé, si graves soient-ils, ne détruisent pas toujours une vie entière. En trente ans de pratique psychiatrique, j'ai eu l'occasion de voir bien des façons de gérer le temps de la maladie. Pour reprendre la description

d'Élisabeth Kübler-Ross [9], on passe en général du déni –
« Ce n'est pas possible que ça m'arrive ! » – à la révolte –
« Pourquoi moi ? » –, puis à la dépression et au désespoir.
Ensuite, l'attitude peut évoluer vers la résignation, la sérénité ou l'espoir. On peut aider un malade à accomplir un
cheminement positif, par une thérapie psychologique individuelle ou l'aide d'une association.

J'aimerais citer en exemple, parce qu'elle est un modèle
de compétence professionnelle et d'éthique, l'association
Vivre comme avant. Cette association a aidé des milliers de
femmes qui avaient subi une mastectomie [10]. On leur
explique souvent que l'être humain apprend par l'expérience, laquelle implique aussi la maladie, la mort et la
détresse. La faculté de vivre et de mûrir dépend de la capacité à transformer une épreuve douloureuse en projet de vie.
Le slogan de l'association l'affirme haut et fort : « On peut
vivre avec un cancer, mais on peut mourir de peur ! » En
travaillant à accomplir ce qu'on appelle un « microdeuil »,
c'est-à-dire à renoncer à une partie d'elles-mêmes, on les
aide à retrouver des valeurs plus profondes et une vitalité
nouvelle. Une femme opérée du sein m'a confié un jour :
« C'est une partie de mon corps qui s'en va, c'est comme
mourir à petit feu... Mais au fond, je suis de nouveau sur
pied, comme les chats qui retombent toujours sur leurs
pattes ! »

CHAPITRE IX

Les maladies du temps

Toute notre existence est régie par un rapport dialectique entre temps biologique et temps social ou, pour mieux dire, entre temps objectif et temps subjectif. Le temps subjectif se rattache à la dimension émotive et affective de l'individu et, donc, à sa personnalité ; le temps objectif, en revanche, est davantage lié aux capacités intellectuelles, qui ont en charge l'intégration des catégories de l'espace et du temps, font la séparation entre le passé, le présent et l'avenir et permettent, à l'occasion, l'élaboration de stratégies plus complexes, comme la temporisation ou l'anticipation.

Toutefois, il arrive que certains aient une gestion pathogène du temps, ceux, par exemple, qui sont toujours en retard. Pour comprendre les raisons de ce dérèglement, il est nécessaire de remonter aux sources de l'apprentissage du temps, non pas au moment où l'enfant commence à faire la différence entre hier et demain ou à savoir lire l'heure (ce qui arrive, en général, autour de huit ans), mais au stade très précoce où débute la perception du temps, dans la période prénatale.

À l'origine, il y a une sorte de fusion béate, proche du nirvana, sans la moindre discontinuité. Puis l'enfant fait l'apprentissage de certains rythmes : celui de la tétée, de l'alternance entre veille et sommeil, des besoins physiologiques. À ces découvertes biologiques, s'ajoute l'exploration progressive de l'environnement. Lorsque l'adulte est affectueux et se montre attentif aux besoins de l'enfant, il facilite la mise en place d'habitudes et aide l'enfant à faire connaissance avec le « temps socialisé » et à s'y orienter. Dans ce processus graduel, le concept de séquence semble précéder ceux de durée ou de simultanéité. Chez l'enfant, la répétition cyclique des événements est à la base de ses premières interactions. Si l'adulte aime toujours être un peu surpris, surtout dans sa vie érotique, chez le nouveau-né et chez l'enfant, la stabilité est un élément indispensable, parce que tout événement imprévu est source d'inquiétude. Voilà pourquoi ceux qui ont souffert, dans le passé, de rythmes irréguliers ne peuvent se permettre le risque d'un érotisme transgressif ou comportant, au moins, une part d'imprévu : ils doivent, d'abord, satisfaire ce besoin fondamental de stabilité et de sécurité qui leur vient de leur enfance.

Je ne m'attarderai pas sur les innombrables études qui ont été faites sur le développement du tout-petit, mais je voudrais insister un peu sur la notion d'« angoisse de l'étranger » qui a été définie par le psychanalyste René Spitz [1]. Autour du huitième ou neuvième mois, le nouveau-né commence à faire la distinction entre les visages familiers et les autres. Cette nouvelle capacité de différenciation crée un motif de trouble : des figures inconnues viennent désormais rompre le cercle rassurant des habitudes interactives qui sont en train de se tisser entre lui et sa famille et, en premier lieu, sa mère. C'est une transition importante, parce que c'est à ce moment que s'opère le passage entre l'état de continuité (fusion avec la mère, satisfaction immédiate du besoin de nourriture et de contact) et l'état de discontinuité (la mère et le biberon « disparaissent »). Les recherches de John Bowlby [2] sur le sentiment précoce d'abandon s'inscrivent dans la lignée des théories de Freud et suivent la distinction du psychanalyste viennois entre le principe de plaisir, dont la racine est inconsciente et extérieure au temps (avec pour formule : « tout, tout de suite et pour toujours »), et le principe de réalité lié au temps (à la déception, à la séparation). Pour l'inconscient, le temps n'existe pas. C'est pourquoi on voit se répéter des mêmes symptômes de névrose, des mêmes erreurs en amour : le temps n'est jamais passé.

C'est donc dans l'interaction avec la mère que commence l'apprentissage progressif du rythme des choses, que naît le sens du temps : l'enfant comprend que la mère s'éloigne, mais qu'elle va revenir. Cette assurance temporelle a été étudiée par Sigmund Freud, le père de la psychanalyse, qui en a donné un exemple demeuré célèbre, celui de la bobine[3]. L'enfant fait disparaître la bobine de fil qui appartient à sa mère sous un coussin, puis la fait réapparaître : à cet instant, tout son visage exprime une évidente jubilation. Il a acquis la maîtrise sur un objet d'amour, qui est un objet de substitution de sa mère. Beaucoup d'adultes en restent à ce stade du développement et prennent, par exemple, plaisir à faire apparaître et disparaître une bouteille de vin, objet de substitution bien plus contrôlable qu'une personne humaine !

L'apprentissage du temps relève de phénomènes émotionnels. Il ne s'agit pas de nier l'importance des fonctions cognitives mises en lumière par le grand psychologue genevois Jean Piaget. Mais, en raison de ma formation psychanalytique, je préfère me référer aux stades classiques du développement affectif de l'enfant. Comme nous allons le voir, ils vont influer grandement sur sa vie adulte et sur sa gestion du temps. Voyons comment ils se caractérisent.

Le stade oral

Au stade oral, les besoins physiologiques passent par la bouche. Le temps est gouverné par l'urgence de la faim et la recherche de nourriture. Ce trait de caractère peut s'accentuer et se prolonger au-delà des besoins physiologiques. Les adultes qui ont un tempérament oral éprouvent de la difficulté à différer leurs propres besoins ; ils sont assaillis par un sentiment d'urgence aussi bien en matière d'alimentation que dans les domaines sexuel et affectif. On les appelle aussi des « prédateurs ».

Au stade oral, on peut distinguer deux sous-groupes. Le premier est une combinaison sadique-orale : une véritable voracité caractérisée par un temps rapide ou nul, si possible, parce que cet appétit ne prend pas en compte la réalité de l'autre mais exige absolument, avec une invincible précipitation, de satisfaire son besoin. Le second sous-groupe est celui de l'oralité passive : il regroupe ceux dont la vie est tout entière absorbée par l'attente d'être comblé, par l'affection, les stimuli, la chaleur d'autrui. Pour eux, le temps n'a pas d'intervalles : ils sont comme des puits sans fond. Entre ces deux types, le tempérament vorace est sûrement le moins plaisant, mais il implique aussi un plus grand développement psychologique, si l'on considère toutes les stratégies actives qui doivent être mises en jeu pour conquérir l'objet convoité. Celui qui en est resté au stade oral passif, en revanche, ne fait rien d'autre qu'attendre de se voir comblé par l'amour.

Le premier stade anal

Ce stade psychologique correspond aux pulsions urgentes du système génito-urinaire qui cherche à se libérer de ses « productions ». Psychologiquement, il se manifeste par le besoin de « décharger » ses émotions, de façon colérique et impulsive. Il est la marque de ceux qui, une fois atteint un âge responsable, sont absolument incapables de se retenir et ne savent ni temporiser ni différer leurs pulsions. Nous avons vu, en nous intéressant aux éjaculations prématurées, que ceux qui font l'amour trop vite sont souvent restés « fixés » à ce moment de leur enfance. Mais leur précipitation n'est pas seulement d'ordre érotique, c'est aussi un trait de leur gestion du temps.

Le second stade anal

Petit à petit, l'enfant apprend qu'il y a un lieu et un temps pour chaque chose. Si ses parents instaurent un régime régulier de gratifications et d'interdits, il apprend à retenir ses matières fécales, puis son urine ; il acquiert la coordination des muscles de son sphincter et devient un être sociable et bien élevé. Ce stade qui prépare l'apprentissage de l'ordre, de la précision et de la ponctualité, a ses dangers. Certains adultes sont attachés de façon obsessionnelle à ce stade du développement : ils ont développé un plaisir à la rétention qui va bien au-delà de la maîtrise physiologique du corps. Dans *La Méchanceté*[4], j'ai décrit une des manifestations de ce trait de caractère, celle où la personne prend plaisir à dire non et pratique l'opposition systématique. Ceux qui s'adonnent à cette forme de jouissance sont le contraire de la générosité : ils ne veulent pas se donner, se retiennent à toute force, accordant aux règles une importance démesurée.

Le stade pervers polymorphe

Certaines des pulsions infantiles qui sont ouvertes sur le monde extérieur, par exemple la curiosité naturelle, relèvent du stade pervers polymorphe. Elles peuvent, en s'accentuant, produire de futurs voyeurs. Il en va de même pour l'exhibitionnisme et les pulsions agressives, lesquelles peuvent se transformer ultérieurement en masochisme ou en sadisme. Ces pulsions de pervers polymorphe émergent brusquement dans des tempéraments apparemment organisés, qui ne supportent alors aucun retard dans la satisfaction de leur désir. Cela explique le comportement surprenant de certaines personnes « irréprochables », soudainement coupables d'actes immoraux ou illégaux.

Je me souviens du cas d'un exhibitionniste qui sévissait toujours dans la même gare. Le jour où il a été pris en flagrant délit, tout le monde a été surpris en découvrant son identité : c'était un des gardiens de sécurité, qui était chargé d'assurer la tranquillité des voyageuses (et non de les inquiéter !). On m'a alors consulté pour faire l'évaluation psychologique de ce cas plutôt surprenant. L'homme traversait une mauvaise passe : sa femme le trompait. Avant, quand ils avaient une vie sexuelle satisfaisante, il n'avait jamais laissé entrevoir le moindre signe d'une tendance à l'exhibitionnisme. C'est seulement quand sa femme avait commencé à l'humilier en racontant les prouesses amoureuses de son amant, que s'étaient réveillées d'anciennes blessures remontant à l'époque de ses jeux d'enfant, de ses compétitions où il jouait avec ses petits camarades à qui a le zizi le plus long et à qui fait pipi le plus loin.

Le stade œdipien

Les problèmes de l'Œdipe, quand ils sont mal résolus, peuvent aussi causer une altération du temps, en produisant une accélération irrésistible ou un ralentissement inhibant. Dans le premier cas, la personne qui vit en « accéléré » subit des pulsions urgentes dont elle ne comprend pas l'origine et qui sont, en vérité, des tendances formées dans l'enfance. Mon amie Adriana souffre, au contraire, d'un « ralentissement » des sentiments. Elle garde des traces œdipiennes non résorbées, qui affectent aussi bien sa relation positive avec son père que ses rapports conflictuels avec sa mère. Jamais elle n'a trouvé la place et le temps pour une relation affective profonde avec un homme. Mais les problèmes occasionnés par ce ralentissement ne se limitent pas au domaine amoureux : la lenteur est l'expression d'une inhibition psychique qui empêche Adriana de faire des choix dans l'ensemble de la réalité présente, jonchée des résidus de ses problèmes œdipiens.

LES HORAIRES DE LA PATHOLOGIE

L'espace et le temps sont les catégories organisatrices de la vie psychique et sociale, et toute altération notable de leur structuration produit un handicap important. Ces difficultés se manifestent avec le plus d'évidence quand un mauvais rapport au temps s'inscrit à l'intérieur d'une pathologie psychiatrique, comme dans les cas exposés ci-dessous.

L'éternelle dépression

Léa, cinquante-trois ans, vient d'abord me consulter pour un problème physique, sa mauvaise mémoire. Elle n'arrête pas d'oublier ce qu'elle doit faire, se sent toujours fatiguée et n'a plus envie de rien. Elle se demande si tout cela n'est pas lié au début de la ménopause, pour lequel elle a commencé un traitement hormonal. Après avoir éliminé l'éventualité d'un trouble physique par un check-up complet, je l'invite à me parler d'elle et de sa vie. C'est ainsi que sa dépression se manifeste. Léa s'est mariée très jeune avec un riche entrepreneur, plus pour obéir à sa famille que par décision personnelle. Jeune fille, elle a fait ses études en Suisse ; son rêve était de devenir diplomate, suivant ainsi les traces de son père consul général, qu'elle continue encore aujourd'hui d'idéaliser. Elle a finalement cédé aux pressions de sa famille assez vieux jeu, renonçant à son rêve d'indépendance pour « faire un bon mariage », dont elle a eu quatre enfants. Quand elle fait le bilan de sa vie aujourd'hui, elle s'aperçoit qu'elle vit, depuis peut-être dix ans, dans une désolante misère affective. Ses enfants, par le cours naturel des choses, ont quitté la maison et son mari, qui n'a jamais été très présent, a toujours attendu d'elle qu'elle se comporte surtout en épouse et en mère de famille modèle. Léa vit maintenant dans un temps lent, qui est, en réalité, un temps mort : celui de sa nostalgie pour l'heureuse époque où son père était à ses côtés, d'un présent vide de tout intérêt et d'un avenir sans perspectives. Dans la psychothérapie que je suis en train de mettre en place avec elle, nous cherchons ensemble à redéfinir les priorités qui comptent vraiment. La prescription d'antidépresseurs l'a aidée à retrouver un peu d'énergie et elle peut, à présent, penser à l'avenir. Si elle ne veut pas quitter son mari, c'est surtout pour des raisons matérielles. Une fois admis que la situation conjugale était impossible à modifier, Léa a accepté de nouvelles responsabilités à la tête d'une association de bénévoles. Elle commence enfin à utiliser ses dons, jamais employés, de femme manager. En même temps, son travail dans l'association lui permet de constater qu'elle peut aider certaines personnes qui vont nettement beaucoup moins bien qu'elle, et cette motivation a sur elle l'effet d'un antidépresseur efficace. Faire avancer le projet, aider les autres, tout cela donne de nouvelles couleurs à ses journées, que l'ennui et la résignation rendaient auparavant ternes et grises.

Le temps zéro de la perversion et de la somatisation

Certains comportements psychopathiques et pervers relèvent de l'incapacité à gérer des pulsions qui ne peuvent être ni comprises, ni différées, ni même « imaginées », mais exigent un immédiat passage à l'acte. Pensons aux toxicomanes, qui *doivent* se procurer leur dose. Le pervers se sent obligé de réaliser son scénario, par opposition aux personnes normales qui se servent de fantasmes de tout genre sans transformer ces jeux en réalité. Entre la pulsion et sa réalisation, le temps se réduit à zéro, parce que ceux qui n'ont pas d'imagination restent prisonniers de leurs besoins.

Ce temps zéro ou minimal se remarque aussi au travers des symptômes des malades psychosomatiques, qui ne réussissent pas à « laisser sortir » et à verbaliser leurs émotions : tout ce qu'ils éprouvent (fureur, angoisse, malaise) se manifeste directement dans leur corps.

C'est le cas de Jeanne. La première fois qu'elle vient me voir, elle est accompagnée de son mari, qui lui reproche son manque de disponibilité sexuelle. Pendant cet entretien, elle manifeste une tendance à rougir fortement dès que nous abordons des sujets qui touchent à l'agressivité. Nous décidons d'entreprendre une thérapie individuelle, au cours de laquelle se déclarent certaines manifestations psychosomatiques : c'est d'abord de l'eczéma, puis une éritrophobie (tendance à rougir irrésistiblement). Jeanne est une femme très organisée, efficace, mais lorsqu'elle parle de son passé, c'est comme si un volcan explosait et que son visage prenait feu. En quelques secondes, elle devient cramoisie ; elle éprouve, dans le même temps, des bouffées de chaleur, parce que l'émotion s'exprime par une brusque accélération du système de vasodilatation. Enfant, elle ne parvenait pas à contrôler ses sentiments, positifs envers son père, négatifs envers sa mère. Elle se sentait très complice de son père et, souvent, ils partaient ensemble faire de la voile. Dans ces moments d'évasion, Jeanne était en proie à une grande excitation, ravie d'être si proche à la fois de son père bien-aimé et de la nature. Malheureusement, dès qu'ils rentraient à la maison, la bulle magique éclatait et elle se retrouvait prisonnière des strictes lois familiales, fixées par une mère sévère et autoritaire. Si on use d'une comparaison « thermique », c'était comme passer à chaque fois de la chaleureuse volupté du sauna à la douche froide. Ainsi, Jeanne n'a pas appris à trouver de moyen terme entre les grands plaisirs et les grandes frustrations. En grandissant, elle n'a fait que protéger sa fragilité derrière une cuirasse de devoirs. De cette manière, elle est devenue une femme en apparence forte et efficace. Mais ses rougeurs persistantes sont le signe révélateur de pulsions trop longtemps réprimées, qui suscitent l'excitation et la fureur. Jeanne n'a pas appris à faire la différence entre les bonnes et les mauvaises émotions et, surtout, elle est totalement incapable d'en différer aucune. Elles apparaissent inscrites sur son corps, qui révèle immédiatement chacune de ses souffrances. Il n'y a qu'une longue psychothérapie pour lui apprendre à traduire verbalement les émotions qui l'envahissent.

Les rythmes de la folie

La désorganisation temporelle peut aller jusqu'à dominer toute la personnalité, faisant émerger une authentique pathologie psychiatrique. Les troubles peuvent être de nature cérébrale, comme dans le cas de la perte de mémoire chez les personnes âgées et dans la terrible maladie d'Alzheimer. Ou bien ce sont des désordres cycliques, comme la cyclothymie ou les psychoses affectives dans lesquelles alternent les périodes dépressives et les périodes maniaques. Un bel exemple de maniaco-dépressif nous a été offert au cinéma dans le film *Mr. Jones*. On y voit un Richard Gere paralysé et pétrifié psychiquement, subissant le temps lent, suspendu, qui caractérise la phase dépressive ; mais lorsque le personnage entre dans la phase maniaque du trouble, le temps se met soudain à aller à toute allure ; le malade est pris d'une frénésie de shopping, décide sur un coup de tête de partir en voyage et a un comportement sexuel beaucoup moins inhibé, le tout lié à un sentiment de toute-puissance et au désir fiévreux de vivre le plus intensément possible.

Dans une autre catégorie, celle des malades psychotiques atteints de manie de la persécution, le temps peut se trouver complètement annulé : la personne peut se croire à une autre époque, se prendre pour Napoléon ou bien se transporter dans une période de sa vie révolue depuis longtemps. Même si les crises, qui sont parfois très aiguës, peuvent être soulagées par les médicaments, la difficulté à rééquilibrer le temps personnel et le temps social persiste.

Il y a plusieurs années, j'ai soigné Rodolphe qui faisait une rechute dès qu'il restait quelque temps hors de l'institution psychiatrique et retournait dans son univers familial « toxique ». Ce manège s'est répété quatre ou cinq fois et puis, un jour, Rodolphe a mystérieusement disparu. Je l'ai revu par hasard alors que j'étais de passage à Las Vegas.

Dans cette hallucinante capitale du jeu, Rodolphe se sentait plus à l'aise que dans le cercle familial, et mieux accepté. Pour lui, cette ville avait un double avantage : elle sait accueillir tous ceux qui ont de l'argent (et, pour son bonheur, Rodolphe est d'une famille aisée), quelle que soit leur personnalité, et elle tient ses salles de jeux ouvertes vingt-quatre heures sur vingt-quatre. Mon ancien patient pouvait donc vivre la nuit au milieu des machines à sous et passer les heures du jour à dormir. Cet environnement anonyme, effrayant par de nombreux aspects, fournissait à Rodolphe un terrain affectif neutre, où il pouvait survivre sans être obligé de recourir régulièrement aux retraites psychiatriques.

LES HANDICAPÉS DE LA MONTRE

En dehors des pathologies que nous venons de décrire, il existe des « malades du temps », moins graves, mais plus nombreux : ce sont tous ceux qui sont obsédés par leur montre, qui vivent mal leur rapport au temps et font partager aux autres leur malaise. Il est possible que ces manies, petites ou grandes, soient caractéristiques de notre société : il suffit de penser à l'attention que nous accordons aux montres en tant qu'objets, comment nous les choisissons soigneusement, comment nous en changeons, et comment, parfois, nous les collectionnons. N'oublions pas qu'autrefois une montre servait pour la vie : c'était celle que nous recevions le jour de notre première communion. S'il n'en va plus ainsi, c'est que la montre est devenue un signe extérieur de richesse, un détail qui dit tout de notre position dans l'échelle sociale et révèle tout de notre personnalité. La personne qui affiche à son poignet une Swatch de couleurs vives, qui garde dans un tiroir une dizaine de modèles de rechange, aura certainement un style de vie, un caractère et des aspirations très différents de la personne qui porte une

Patek Philippe d'époque ou une Audemar-Piguet. On pourrait dire, en poussant un peu la formule : « Dis-moi quelle montre tu portes et je te dirai qui tu es... » Pour l'instant, nous nous limiterons à ceci : « Dis-moi quel est ton rapport au temps et je te dirai qui tu es... » Voici donc les dix catégories qu'on rencontre le plus souvent parmi les « obsédés de la montre ». Je vous laisse imaginer ce qui se produit quand un maniaque de la précision tombe amoureux d'une retardataire chronique...

Le retardataire chronique

C'est le cas le plus fréquent : nous avons tous parmi nos connaissances quelqu'un qui arrive systématiquement en retard. Et je suis sûr que plus d'un de mes lecteurs se rangera spontanément dans cette catégorie.

Un grand nombre de ces retards sont socialement tolérés. Il suffit de songer à l'usage du quart d'heure académique qui, parti de l'université où les cours commencent toujours avec quinze minutes de retard, semble s'être généralisé. Cependant, ce quart d'heure autorisé s'étend parfois abusivement. Lorsque j'entends : « On se retrouve *autour* de trois heures », j'imagine que cela doit vouloir dire n'importe quand entre quatorze heures trente et quinze heures trente. Dans ces conditions, plus besoin de l'aiguille des minutes sur une montre, celle des heures suffit !

Il y a aussi ceux qui sont toujours en retard parce qu'ils ont perdu l'expérience du temps réel. Ils ne maîtrisent pas leurs pulsions, pas même les plus banales, et dès qu'ils voient un vêtement qui leur plaît dans une vitrine ou restent un peu trop longtemps au téléphone avec un ami, ils oublient ou renvoient aux calendes tous leurs rendez-vous. Ces personnes confondent hardiment spontanéité et mauvaise éducation et, surtout, n'ont aucune conscience du temps adulte, qui est aussi un temps de relations : elles restent attachées au temps infantile, hédoniste et capricieux.

À l'inverse, Olga est une « retardataire gentille ». Elle est incapable de dire non à quiconque lui demande un service. Elle est surchargée par tout ce qu'elle s'impose de faire et qui, objectivement, dépasse le temps dont elle dispose. Elle court du matin au soir et elle ne peut pas faire autrement que d'être toujours en retard. Elle finit par avoir des mots avec tous ceux à qui elle fait perdre du temps. Finalement, elle ferait mieux d'être moins gentille et un peu plus combative, d'apprendre à dire non et de commencer par établir elle-même ses choix et ses projets.

Il y a aussi les « retardataires enthousiastes », toujours en retard parce qu'ils sont trop pris par la vie. Comme Marie, qui fait toujours tout au dernier moment, et dans tous les domaines : au travail, à la maison, en famille, avec ses amis. Elle trouve un moment pour tout et a un sourire pour chacun. Sa vie est une course perpétuelle contre la montre : une journée de vingt-cinq heures ne lui suffirait pas, mais elle espère toujours gagner quelques minutes de plus. Elle aime voir son agenda rempli à craquer de projets, de dates soulignées, de rendez-vous ; elle dit oui à toutes les sollicitations, à toutes les invitations, parce qu'elle adore se sentir active. Mais personne ne peut embrasser tout le possible : Marie doit apprendre à renoncer à quelques-unes de ses obligations et à sélectionner.

Les « retardataires stabilisés » forment une autre catégorie à part. Claire est une femme médecin qui arrive toujours avec dix minutes de retard. Elle a une personnalité obsessionnelle bien compensée, puisqu'elle assume consciencieusement son travail et, en fin de compte, rend toujours à ses patients plus que les dix minutes qu'ils ont perdues initialement. Le motif de ce retard stabilisé est à chercher dans son passé. Enfant, Claire passait des heures aux toilettes : elle aimait retenir ses besoins jusqu'au dernier moment. Il reste quelque chose de cette névrose infantile dans son comportement présent, quand elle retarde le moment de quitter la maison, quitte à foncer sur la route pour réduire son retard aux dix minutes établies.

Si tous ces exemples concernent des femmes, c'est l'effet du hasard, car le retard chronique est un problème qui touche également les hommes. Pour conclure, je mentionnerai le cas de ce médecin qui travaillait douze heures par jour parce que, derrière son esprit missionnaire, il y avait la volonté d'être constamment à la disposition des autres, sans aucune limite de temps. Il arrivait que ses patients attendent plusieurs heures dans sa salle d'attente et finissent par partir, lassés de perdre leur temps.

Ces retardataires chroniques, en guerre contre leur montre par excès de gentillesse ou par manque d'organisation, ne doivent pas être confondus avec ceux qui font attendre pour exercer leur pouvoir sur autrui. Il m'est arrivé, pour certains rendez-vous ministériels, d'attendre plus de deux heures avant d'être reçu, sous prétexte que le ministre et le secrétaire étaient « retenus par une affaire urgente ». En revanche, je n'ai jamais été soumis aux mêmes contrariétés à l'OMS ou au Parlement européen, sièges d'administrations peut-être moins pressées et moins importantes que les services de nos chers ministres. Il y a une arrogance du pouvoir à faire attendre les gens, qui est proportionnelle à la soumission de ceux qui sont prêts à tout pour obtenir la faveur recherchée.

Le maniaque de la précision

Le laborantin à qui nous confions le soin de déceler une éventuelle maladie doit être rigoureux dans ses analyses médicales, et non approximatif. De même, il est préférable que notre commandant de bord soit précis au moment d'atterrir ou que l'assureur ne fasse pas d'erreur quand il établit notre assurance-vie. Le souci de la précision n'est un problème que lorsqu'il devient excessif et se change en style de vie.

J'ai eu, à cet égard, une expérience très éclairante quand j'ai commencé à travailler en Suisse. La réunion des médecins de l'hôpital où j'exerçais commençait à sept heures quarante-cinq précises. La première fois, je suis arrivé à sept heures quarante-huit, et j'ai trouvé la porte fermée à clef. Le chef du service, originaire de Berne, m'a alors expliqué que les jeunes médecins « du Sud » devaient apprendre à être ponctuels et à faire preuve d'un peu plus d'éducation. Parfois, l'idée m'est venue que ce type de pédagogie pourrait être une panacée dans les pays méditerranéens, notamment dans l'administration où il faut si souvent patienter pendant des heures. Et puis, je me suis rendu compte que cet esprit pointilleux à l'excès dissimulait, en fait, une tendance colonialiste qui confond l'ordre comme principe absolu et le besoin d'ordre pour faire correctement ce qui est important. Le pointilleux érotise le temps : c'est comme s'il avait avalé sa montre et en était devenu l'esclave.

C'est pour cette raison que les maniaques de la précision souffrent souvent de plusieurs désordres. Je me souviens de Jean-Louis qui était tellement stressé par l'impératif de tout faire à temps qu'il a fini par développer un ulcère gastrique. Simon, lui, est venu me consulter à propos d'une série de tics handicapants, qui venaient de sa tentative de contrôler le temps qui passe par un ensemble de rites. Par peur d'oublier, il avait commencé par dresser des listes de choses à faire. Ces listes avaient fini par devenir une sorte de passages obligés, au point qu'il ne pouvait même plus discuter de choses importantes avec sa femme et ses enfants sans d'abord relire ses notes. Lorsqu'il devait parler en public, ce qui lui arrivait souvent dans son travail, il cherchait toujours ses notes dans ses poches mais, le plus souvent, il les avait oubliées à la maison. Son anxiété avait atteint un tel stade que les rituels destinés à assurer son contrôle sur le temps avaient progressivement envahi toute sa vie.

Le maniaque de la précision peut aussi rencontrer des difficultés sexuelles en raison de son incapacité à « larguer les amarres » quand il passe du public au privé. Armand, par exemple, est arrivé à la consultation avec dix minutes d'avance, comme à son habitude. Il souffre de ne ressentir

206 • LE TEMPS D'AIMER

aucun désir pour sa femme alors même qu'il l'aime beaucoup et ne la tromperait pour rien au monde. Du coup, il
satisfait ses besoins sexuels en se masturbant deux fois par
semaine sous la douche. Ce n'est pas un hasard si c'est un
laborantin de toute confiance ! Son besoin de contrôler le
temps l'empêche de se montrer moins vigilant, de laisser
monter les sensations du corps et d'être attentif aux rythmes
de l'autre. Bref, il ne parvient pas à admettre que l'érotisme
est fait d'éléments imprévisibles, souvent transgressifs et,
certainement, jamais précis, sans lesquels ce ne serait, ni
plus ni moins, qu'une gymnastique hygiénique. C'est la raison de sa baisse d'intérêt pour une femme très aimée.
Armand me fait cette demande impossible, et qui ne trompe
jamais : il voudrait que je lui prescrive la « pilule du désir »,
qui n'existe pas.

Le colérique

Ceux qui souffrent de cette maladie du temps ne savent
pas se contenir. À la première occasion, ils font un drame
ou une scène pour se décharger de leurs énergies négatives.
Le colérique, pour ne pas transformer sa vie et celle de ses
proches en enfer, doit trouver une voie moyenne entre son
temps et celui des autres.

C'est ce qu'illustre l'histoire de Jean-Marc. Mardi soir,
il est allé jouer au football avec des amis, comme il le fait
depuis des années. Mais ce jour-là, quelque chose est allé
de travers : une dispute a éclaté pour un motif banal, une
faute contestée. Jean-Marc a perdu patience et s'est mis à
hurler. Depuis, le groupe menace d'éclater. Jean-Marc est
rentré à la maison de mauvaise humeur. Manque de chance,
la première chose qu'a faite Mireille est de lui reprocher son
retard. Une violente altercation s'est ensuivie. Jean-Marc
s'est mis à l'insulter, l'a traitée d'emm... qui ne savait jamais
se taire au bon moment. Bref, il s'est défoulé sur elle et lui
a fait payer, simplement parce qu'elle était là, ce qui s'était
passé pendant le match. Mireille a répondu en l'attaquant

sur son point faible. Elle a profité de la dispute pour lui glisser que les choses entre eux n'étaient plus comme avant sur le plan sexuel. Quelques jours plus tard, prétextant qu'il avait besoin d'une visite médicale, elle l'accompagnait à mon cabinet.

Ma première impression est celle d'un couple qui discute beaucoup mais laisse peu de place au dialogue. Le principal problème de Jean-Marc est qu'il recherche les disputes pour pouvoir se libérer d'énergies contenues. C'est quelqu'un de plutôt craintif. Mireille lui reproche d'ailleurs de faire beaucoup de bruit mais d'être incapable de se battre comme un homme. Ces petites phrases meurtrières, parce qu'elles ont une part de vérité, font exploser Jean-Marc. Cet employé de banque, qui, au bureau, est un véritable agneau, se sent obligé de faire le lion à la maison. Mais alors que, lui, s'endort comme un enfant une fois qu'il s'est bien défoulé, Mireille ne peut plus fermer l'œil de la nuit, tellement elle est furieuse. Jean-Marc est plus colérique qu'agressif et, depuis quelques années, il cherche dans l'alcool les gratifications que la vie lui refuse. Il mange, boit et vocifère tant qu'il peut, et sa difficulté à avoir une érection est peut-être la conséquence de problèmes vasculaires ou l'expression d'une identité masculine défaillante. Sa femme, auparavant si fière de ses prouesses sexuelles, affirme maintenant ne plus pouvoir le supporter. « Tu sais de quoi tu as l'air quand t'as bu ? lui lance-t-elle. D'un minable ! » Or si Jean-Marc se sent mal dans sa peau, il ne supporte pas qu'on le lui dise, et les perspectives de guérison sont réduites, en raison justement de cette réticence au changement. Pour le moment, nous nous sommes contentés d'un examen andrologique, dans l'espoir qu'une thérapie contre l'impuissance sexuelle lui rendra suffisamment d'assurance et réduira son irritabilité injustifiée. J'ai aussi conseillé à sa femme de le réconforter plutôt que de l'agresser parce que pour Jean-Marc, comme pour la plupart des hommes, l'encouragement est la forme la plus efficace de la séduction. Enfin, j'ai conseillé à Jean-Marc de trouver un autre loisir que le football, pour servir de « tampon » entre le bureau et la maison. Jean-Marc avait pris l'habitude de se débarrasser des tensions et des frustrations accumulées au travail en jouant régulièrement au football. Il est certain que l'insertion d'un « temps de latence » entre le travail et le foyer est une excellente stratégie, en particulier pour cet homme colérique.

Le tyran du temps d'autrui

Joseph, un de mes collègues, est toujours pressé. Au point qu'il a développé une tachycardie paroxystique sans base organique, symptôme de son agitation intérieure. Mais ceux que je plains le plus, ce sont sa secrétaire, sa femme et ses enfants qui doivent subir ses perpétuelles crises d'angoisse.

Cette forme de narcissisme, qui finit par empiéter sur le temps d'autrui, accapare et écrase toute personne qui se trouve à proximité, pour une raison ou une autre. Moi-même par exemple, je me souviens avoir été harponné par un personnage de ce type, dont j'avais eu l'imprudence d'accepter l'invitation.

Ce célèbre chirurgien-dentiste nous avait invités, ma femme et moi, à venir passer le week-end sur son tout nouveau voilier. Nous devions nous retrouver le vendredi soir à huit heures dans un port de la côte normande. À dix heures, ne voyant toujours personne arriver, nous nous sommes mis en quête du bateau, avant d'échouer piteusement à l'hôtel. Le lendemain matin, notre hôte apparaît : il nous explique qu'il n'a pas eu le temps de poser la plaque sur le bateau et que c'est regrettable, car nous aurions pu tranquillement passer la nuit à bord. Il nous aurait bien prévenus, ajoute-t-il, mais il a été retenu dans la soirée par une intervention urgente. Au moment où nous montons, enfin, sur son yacht, il nous annonce qu'il doit retourner à l'hôpital, à cinquante kilomètres de là, pour donner des soins au malade de la veille. Mais, s'empresse-t-il de préciser, il reviendra très vite et nous pourrons partir juste après. Nous passons la journée du samedi au soleil, sur le port, et prenons notre mal en patience. Quand il revient, en galante compagnie et avec quelques bouteilles de bon vin, le soir est tombé. Nous décidons donc de prendre le large le lendemain matin, au lever du jour. C'était sans compter le contrôle de la capitainerie qui révèle que les papiers du voilier ne sont pas en règle : nous ne sommes pas autorisés à partir. Finalement, nous passons la matinée du dimanche à nous promener sur le port et embarquons pour une toute petite promenade dans l'après-midi. Une fois au large, le maître des lieux veut nous montrer le canot de sauvetage, qui est censé s'ouvrir automatiquement en trente secondes. Mais il est encore scellé, ce qui exige trente bonnes minutes de manipulations... Pendant ce temps, j'ai le malheur de m'appuyer au bastingage du voilier et je manque de tomber à l'eau parce qu'il y manque des vis. Et si nous sommes rentrés à bon port, c'est à la perspicacité de ma femme que nous le devons, parce que, évidemment, il n'y avait pas de carte à bord pour nous aider à nous orienter ! Un an plus tard, nous avons appris que ce dentiste avait eu des problèmes dans son travail : sa façon de mal organiser ses journées et de vivre constamment dans l'urgence lui avait joué un sale tour. Il s'est exilé aux Caraïbes où les rythmes sont peut-être plus en accord avec ses usages.

Les tyrans du temps d'autrui produisent aussi des catastrophes dans les chambres à coucher. En effet, ce sont souvent des partenaires égoïstes ou peu attentifs. Rose en a fait la cruelle expérience. Elle souffrait de douleurs au moment des rapports sexuels (dyspareunie) et son mari, qui lui imposait la brutalité de son impatience et de son imprévisibilité, en était le principal responsable. Lorsque je l'ai reçu, celui-ci m'a expliqué qu'une femme devait toujours se tenir « prête » et que les préliminaires étaient superflus. C'est, pourtant, l'insuffisance de lubrification vaginale qui rend les rapports douloureux chez une femme...

Ce comportement si peu respectueux du temps d'autrui

est rare chez les femmes, qui sont davantage à l'écoute des rythmes biologiques du corps. Mais il y a quelques exceptions. Je me souviens de Sylvie, bisexuelle à dominante lesbienne et au comportement dominateur : elle obligeait sa jeune et timide compagne à subir ses envies et adoptait à son égard le type de comportement qu'elle supportait si mal chez les hommes. Ou encore de Dominique, qui s'était en quelque sorte identifiée à son père, personnage sympathique mais autoritaire, et qui faisait l'amour « comme un camionneur ». Elle ne dédaignait pas les rapports rapides et dirigeait ses jeunes amants à la façon d'un chef d'entreprise. Elle ne comprenait pas pourquoi elle semblait condamnée à multiplier les aventures et à n'être jamais en syntonie affective avec un homme...

L'anxieux

Harcelés par leurs doutes, prisonniers de leurs peurs, les anxieux agissent systématiquement à contretemps. Soit ils anticipent sur les événements et arrivent trop tôt. Soit ils « explosent » et arrivent en retard. Ils s'inquiètent, paniquent, et finissent par multiplier les échecs, entraînés dans une spirale infernale. Ce « syndrome du temps inopportun » est typique d'un grand nombre de personnes timides ou, simplement, embarrassées.

C'est le cas de Sonia, une belle femme de quarante ans, qui se sert de sa montre comme d'un tranquillisant. Elle la règle toujours avec un peu d'avance : comme cela, dit-elle, elle est sûre de ne jamais être en retard. Elle est tellement anxieuse que, lorsqu'elle organise des dîners, elle prépare les plats la veille et met la table, le matin, avant de partir travailler. Au bureau aussi, elle « prend de l'avance » : sa table est parfaitement rangée ; tout est en ordre ; aucun dossier n'est jamais laissé en suspens. Elle embarrasse parfois ses amis par son extrême ponctualité : quand elle est invitée à une fête ou à un dîner, il arrive souvent qu'elle les surprenne alors qu'ils finissent de s'habiller ! Heureusement,

Sonia a trouvé un mari qui n'est pas anxieux mais aussi ponctuel : leurs vies avancent à l'unisson, réglées sur la même montre.

Le gaspilleur de temps

On dirait qu'il a arrêté toutes les montres de la vie, pour vivre à un rythme qui n'appartient qu'à lui, ralenti, désordonné et souvent très lent. À ses yeux, les autres courent comme des fourmis affolées, en avant, en arrière, dans une frénésie insensée. Très souvent, ce type de comportement cache de grands rêveurs. Quand ils ont de la chance, ils trouvent un travail créatif et sans horaire contraignant dans lequel ils s'épanouissent, à leur façon. Autrement, ils vont d'échec en échec.

Michel est un dessinateur plutôt doué, qui n'a jamais su faire la distinction entre le jour et la nuit. Il peut travailler pendant vingt-quatre heures d'affilée et, ensuite, dormir comme une souche pendant douze heures. Dans la vie quotidienne et pour les tâches pratiques, il est très peu fiable. En général, il découvre que son réfrigérateur est vide quand les magasins sont fermés, et s'il sort pour acheter le journal, il peut revenir plusieurs heures après, en ayant tout oublié du travail qui l'attendait. Il est en permanence distrait par d'autres pensées, par d'autres choses, ce qui lui fait perdre énormément de temps. Heureusement, il a rencontré une compagne efficace, qui a pris en main la direction de sa vie : c'est elle qui, symboliquement, remonte les horloges dont il a arrêté la marche.

L'anachronique

Il y a des gens qui nient le passage du temps. Ces personnalités narcissiques, très attentives à ne pas vieillir, continuent à avoir des comportements adolescents ou carrément puériles, souvent par un besoin de séduire et de plaire qui, de fait, remonte à l'enfance. Cette catégorie rassemble beaucoup d'acteurs et, surtout, d'actrices. Bien sûr, il y a toute une armée de *Babydolls*, type Barbie ou nymphette, qui n'ont aucun problème tant qu'elles sont jeunes. C'est après que leur comportement infantile et capricieux devient difficile à gérer. Certaines stars ont su évoluer avec l'âge à l'écran, et c'est un signe indubitable d'équilibre et de maturité personnelle. Mais d'autres semblent comme « scotchées » à leur jeunesse. Récemment, j'ai participé à une émission de télévision très amusante, avec une actrice qui avait été célèbre il y a trente ans et dont je tairai le nom par discrétion. Je suis resté totalement déconcerté par sa façon de s'habiller : c'était comme si le temps n'avait pas passé.

Ce comportement ne se limite pas toujours aux questions vestimentaires. Certains entrent dans la spirale des liftings et s'imposent des interventions répétées. Je ne suis pas hostile, par principe, à la chirurgie esthétique, surtout quand elle peut aider à accorder de nouveau un corps marqué et un esprit toujours alerte. Mais il s'agit parfois de nier tout simplement le temps qui passe, en confiant au bistouri le soin de maintenir l'illusion. D'autres préfèrent faire « lifter » leurs histoires d'amour et s'affichent avec des amants ou des maîtresses de plus en plus jeunes. On constate, d'ailleurs, un meilleur partage des rôles en ce domaine : le sexagénaire d'aujourd'hui se fait retoucher par un chirurgien, stratégie auparavant réservée à la femme, tandis que la sexagénaire, pleine de charme, se choisit un compagnon beaucoup plus jeune, privilège naguère exclusivement masculin.

Toutefois, les hommes qui luttent contre le temps préfèrent les nouveaux « accessoires » au coup de bistouri. Ils soignent leur bronzage mais, plus encore, leur voiture de sport et leur jeune compagne. Ils s'habillent « décontracté », portent à l'occasion les gros pulls de leurs enfants et font parfois une cour anachronique et pathétique aux amies de leurs enfants. Il y en a aussi qui s'obstinent dans des activités sportives qui ne leur conviennent plus, risquant à chaque effort l'entorse et la contraction musculaire. Ce sont, aussi, des sujets à risque pour le « coït fatal » dont toutes les statistiques affirment qu'il est plus fréquent chez les hommes poursuivant des aventures extra-conjugales avec des femmes plus jeunes, car c'est un motif de stress et une occasion de boire un peu pour se donner du courage.

Entendons-nous bien : toute relation avec une personne plus jeune n'est pas nécessairement anachronique et pathologique ! Au contraire : le second mariage est souvent, non pas la répétition, mais la « réparation » de la précédente névrose conjugale. Après un premier mariage raté, les hommes qui ont réussi épousent souvent des femmes plus jeunes, en général charmantes et élégantes et prêtes à faire bien des concessions pour entrer dans leur orbite. Il y a peu d'instants libres, beaucoup d'obligations sociales, si bien que la jeune épouse est contrainte de renoncer à certains de ses désirs, parmi lesquels figure souvent celui d'avoir un enfant. Mais quand la carrière du mari prend un mauvais tour et que son nom est éventuellement mêlé à quelque scandale financier, ces « phalènes du succès » ont pour coutume de s'éclipser.

Le solitaire (par inhibition ou par ennui)

J'ai participé récemment à un séminaire de célibataires. Quelques-uns étaient heureux, mais le plus grand nombre souffrait de cette situation : les « célibataires par force et non par choix ». Parmi les prisonniers de la solitude, il y a en particulier ceux qui ne parviennent pas à faire coïncider leur temps avec celui d'autrui. Il y a les timides maladroits qui ne se trouvent jamais au bon endroit au bon moment et ne rencontrent jamais la bonne personne. Il y a les gens tristes, toujours au bord de la dépression, qui repoussent les autres, puis se plaignent d'être seuls. Mais il y a, surtout, les « handicapés de la vie relationnelle ».

Comme Matthieu, un célibataire endurci qui ne supporte que le silence des montagnes où il fait de longues promenades en compagnie de son chien. Pour lui, le seul dialogue possible est avec la nature. Là, il se sent à son aise, en partie parce qu'il est maître du temps et des circonstances. Son équivalent féminin, c'est la vieille dame anglaise qui ne s'entend qu'avec son carlin. Ces malades du temps recherchent parfois le mode de vie qui leur permet de mieux s'isoler des autres, comme Corinne, qui a choisi d'être infirmière de nuit pour être sûre de n'être obligée de parler à personne. Sa vie sociale est pratiquement nulle. Corinne préfère manger seule, dormir le jour, ignorer ses voisins et n'avoir d'échanges qu'avec les malades âgés, qu'elle aime surtout voir dormir.

Il y a une autre variante du solitaire, l'ennuyé, dont le problème est aussi de type relationnel : au bout de quelque temps, les gens l'ennuient à mourir. Il a beaucoup d'amis, beaucoup d'aventures, mais jamais de lien durable. En fait, son seuil de tolérance à l'ennui est extrêmement bas, et il suffit de très peu de chose pour qu'une personne lui apparaisse dénuée d'intérêt, peu excitante et terriblement prévisible. Il vaut donc mieux rester à la maison. Et seul.

L'imprévisible

Il existe des personnes impulsives et compulsives, victimes d'un temps désordonné. Tel est le cas d'Ariane, vingt-cinq ans, qui vivait depuis plusieurs mois dans un bonheur partagé par son compagnon. Bouleversée par ce qui vient de lui arriver, elle me demande de la recevoir le plus vite possible. Elle me raconte son histoire sans reprendre haleine. Elle devait passer le week-end au bord du lac dans sa maison de famille avec son ami, mais celui-ci, au dernier moment, n'a pu y aller à cause de son travail. Elle est partie quand même, et comme elle se sentait un peu seule, elle est sortie, le premier soir, dans le quartier très animé du port. Elle est entrée dans un bar pour prendre un verre et, dans un état de « vigilance réduite », a fait la connaissance d'un garçon qui s'est assis pour bavarder avec elle. Quelques heures plus tard, elle était dans la voiture du jeune homme en question, en train d'échanger d'ardentes caresses. Une fois remise de la situation, elle a éprouvé un grand sentiment de honte et s'est accusée d'être incapable de se contrôler. Surtout, elle ne comprend pas pourquoi elle a agi ainsi. Au cours de notre entretien, cette jeune femme se rappelle un épisode qui a eu lieu quand elle avait dix-sept ans. Elle devait partir en Angleterre avec des amies, quand elle a découvert à l'aéroport que son passeport était périmé. Les douaniers, inflexibles, l'ont repoussée et elle est restée toute seule. Alors qu'elle errait dans l'aéroport, un individu l'a abordée, puis brutalisée. S'il n'y a pas eu, à proprement parler, viol sexuel, il y a bien eu violence psychologique puisque l'homme a profité de l'égarement d'une mineure. Ariane n'en a jamais parlé à personne, la communication n'ayant jamais été une chose facile dans sa famille.

Au cours de la thérapie, il devient clair que ces « incidents » forment comme des failles dans l'organisation d'une vie globalement sans ombres. Plus profondément, il y a l'incapacité d'Ariane à dire « non ». Ses parents n'ont jamais, en matière d'éducation, marqué de frontières strictes. Sa mère, une femme d'un grand charme, lui a inculqué une morale double, très rigide dans les formes, plus floue dans les faits. Son père a eu une influence encore plus néfaste : il buvait et avait un comportement variant suivant son degré d'ébriété. Poser des limites est de première importance pour l'éducation d'un enfant : certains caprices infantiles, certaines provocations à l'adolescence servent à tracer les limites qu'il est interdit d'enfreindre. L'éducation doit être chaleureuse et affectueuse, mais aucunement laxiste. Autrement, apparaissent ces « failles » dans l'organisation de la personnalité qui peuvent amener, dans des situations de crise émotive, des comportements qui semblent inexplicables.

Le nostalgique

Sentiment poétique et poignant, la nostalgie peut être très périlleuse. Parce que, étymologiquement, c'est la « douleur du retour », du grec *nostos*, qui signifie retour, et d'*al-*

gos qui veut dire douleur. Le problème est que ce voyage dans le passé est impossible ; on voudrait revenir en arrière, en enfance, dans telle ville qu'on a quittée, à tel amour aujourd'hui perdu... quand, en fait, le temps n'y est plus.

Sylvain, vieux garçon inconsolable, ne parvient pas à oublier sa très belle histoire d'amour, terminée il y a dix ans quand son amie s'est installée en Australie. Ses journées sont encore remplies par le regret d'une femme qui est partie à des années-lumière, dont il ne sait plus rien et qui a sûrement refait sa vie. En somme, il est attaché à un passé qui ne passe pas, alors que sa nostalgie devrait être positive et lui rappeler une expérience pleine de douceur mais, à présent, achevée. Au lieu de cela, elle ralentit sa vie, paralyse ses émotions : le temps du chagrin lui interdit de retomber amoureux.

CHAPITRE X

L'heure de la guérison

Dans notre société gouvernée par la hâte, il était inévitable que les personnes qui se sentent mal réclament des
solutions efficaces et rapides, pour aller mieux le plus rapidement possible. Une des principales critiques adressées à
la psychanalyse concerne précisément la durée de la cure :
pour « changer » et « guérir », il faut compter au minimum
trois ans au rythme de trois séances hebdomadaires. À cela,
les psychanalystes répondent avec justesse que la durée de
la thérapie est proportionnelle à l'importance de l'objectif
fixé, puisque les obstacles à révéler remontent à la première
enfance. Il faut donc distinguer entre deux perceptions du
temps, celle du patient et celle du thérapeute. Voyons cela
de plus près.

DANS L'ESPRIT DU PATIENT

1. Il faut du temps pour découvrir et prendre pleinement conscience de ses propres problèmes. Si les sujets
dépressifs ou anxieux s'aperçoivent immédiatement de leur
souffrance, les patients qui souffrent de troubles psychosomatiques ou qui ont une personnalité narcissique expriment
indirectement, par leur corps ou leur comportement, le

malaise qu'ils éprouvent. Ils ont donc besoin de beaucoup de temps pour prendre conscience de la douleur psychique qui se dissimule dans leurs symptômes.

2. Les personnes en crise cherchent, très souvent, une explication dans la réalité présente, alors que celle-ci est seulement le support de conflits plus anciens. Or redéfinir le contexte du passé, relier le présent aux événements révolus et oubliés est une opération psychologique qui réclame du temps.

3. Dans la majorité des cas, les anciens conflits ont été refoulés parce qu'ils sont source d'angoisse. Si le thérapeute les fait émerger trop vite, le patient risque de ne pas pouvoir le supporter : il faut du temps pour évoluer sans déclencher de cataclysme. La névrose infantile est semblable à un coup de foudre. Révélée trop brusquement, elle peut provoquer un renforcement paradoxal des défenses : ce serait comme mettre un couvercle sur un volcan.

4. Quand ils remontent à la surface, les conflits doivent être revécus sur un mode émotionnel, et non intellectuel. Cela implique le transfert, dans la réalité actuelle, d'émotions anciennes, sur la personne du thérapeute.

5. Suivant les écoles, le transfert thérapeutique peut être ignoré, ou reconnu mais non utilisé, ou encore, comme c'est le cas en psychanalyse, utilisé comme instrument de changement. Il est, toutefois, indispensable que la relation thérapeutique dure suffisamment pour que le transfert puisse se faire. Le patient peut alors revivre son passé et modifier son ancienne façon d'affronter les conflits.

6. Quand les conflits liés au passé ont été résolus à travers la relation thérapeutique, quand ils ont été interprétés, il faut encore un temps supplémentaire pour s'assurer que le patient s'est affranchi de la relation avec le thérapeute et qu'il n'en reste pas dépendant, comme d'un gourou ou d'une secte.

Le processus thérapeutique peut durer plusieurs années. Cette idée effraie généralement les patients habitués aux rythmes trépidants de la vie moderne. Ils s'inquiètent comme s'ils souscrivaient, avec leur thérapeute, une police d'assurance pour un voyage à l'itinéraire incertain. C'est le cas de Laurent, brillant banquier de quarante-cinq ans, qui occupe une position que les gens de sa profession atteignent d'ordinaire dix ans plus tard. Rétif à toute forme d'autorité, Laurent est parvenu à accumuler une fortune considérable grâce à des opérations financières géniales, menées sans trop de scrupules. Sur le plan affectif, ce comportement despotique a été moins profitable. Laurent a épousé une femme flétrie avant l'âge, qui lui a donné un enfant, et avec laquelle il mène une vie sexuellement dépourvue d'intérêt. Il rêve de la quitter et tombe régulièrement amoureux de « reines » imaginaires qu'il entreprend de séduire par sa vivacité d'esprit et sa grande élégance. Mais à chaque fois que ces femmes commencent à répondre à son amour, il s'enfuit, gêné et déçu. En somme, il crée son propre antidote : à l'idéalisation succède la destruction de l'idole. Il retourne, alors, à sa morne vie conjugale, tout en reprenant son rêve de grand amour.

Laurent pense qu'il a besoin d'aide parce qu'au cours de ses différentes aventures, ses performances sexuelles ont été relativement médiocres. Il refuse de comprendre que le problème est non pas sexuel mais affectif, et qu'il est de taille. Derrière la recherche assidue de l'heureuse élue, se profile l'ombre d'une mère lointaine, qui l'a abandonné quand il était petit et qu'il a totalement mythifiée, pour éviter de devoir transformer la mère-fée en mère-sorcière.

Habitué au rythme haletant de sa profession, ce banquier autoritaire ne supporte pas l'idée de devoir dépendre d'un thérapeute et il manifeste une défiance proche de la paranoïa. L'issue est donc très incertaine, à cause de son incapacité à inscrire dans le temps un vrai projet de changement. Avec le besoin de domination qui le caractérise, Laurent a déjà tenté de manipuler plusieurs thérapeutes, qui lui avaient proposé des techniques rapides, praticables le week-end, comme la méditation orientale ou l'approche corporelle. Quand arrivait la fin de la semaine, il pouvait ainsi se décharger de la tension accumulée mais, le lundi matin, il se sentait totalement « vidé ».

Après l'échec de trois thérapies brèves, Laurent se décide à venir me consulter. Ce n'est pas qu'il croie à la psychanalyse, mais il me considère comme un « battant » à cause de mes livres (il ne les a pas lus, mais simplement vus en vitrine). Il espère m'arracher très vite le moyen de réussir affectivement. Pour le moment, je tiens le coup : je lui explique que je ne peux lui faire « gagner de temps » et abréger le temps d'une thérapie qui met en question tout son passé. Alors qu'il partait faire une régate, je l'ai invité à consacrer son week-end à méditer, à bord de son voilier, sur le temps qui passe, celui qu'il a perdu comme celui qu'il a gagné.

La pression économique et sociale pousse aussi à se tourner vers les thérapies brèves. En Suisse, comme en France, les mutuelles privées ont tendance à encourager ce type d'intervention, qui privilégie la recherche de solutions à l'élucidation du problème. Si cette approche se justifie dans le cas de troubles légers, s'enracinant dans le présent, elle ne permet, en aucun cas, d'avoir sur les névroses d'origine infantile le regard qu'il convient.

D'autre part, il ne faut pas confondre thérapies *brèves* et thérapies *abrégées*. Les premières ont d'abord été le monopole des psychothérapeutes cognitivo-comportementalistes puis systémiques, à l'époque où l'on accusait la psychanalyse d'avoir des échéances beaucoup trop longues. Puis les psychothérapies analytiques brèves ont commencé à se répandre, avec David Malan à la Tavistock Clinic de Londres, Peter Snifeos à Boston et, plus récemment, Habib Davanloo à Montréal. Bien que leurs méthodes soient variées, ce type de thérapies est, de l'avis de ses partisans, beaucoup plus complexe que les psychothérapies classiques, car les spécialistes qui entendent les pratiquer doivent d'abord « s'entraîner » sur les cures longues pour découvrir où il est possible de gagner du temps. Comme dans les psychanalyses traditionnelles, il y a identification de la demande du patient et mise en place d'un cadre thérapeutique, mais le patient est assis face à l'analyste plutôt qu'étendu sur le divan.

La fin de la cure est fixée d'avance. On décide au départ que l'analyse durera dix, trente ou cinquante séances. Cette « échéance » a l'avantage de mobiliser les énergies psychiques enfouies, qui peuvent rester inemployées quand le patient se dit qu'il a indéfiniment la possibilité d'aller s'étendre sur le divan de l'analyste, cependant que celui-ci risque de devenir un compagnon de vie plutôt qu'une figure incitant au changement. Dans les thérapies brèves, c'est comme si on affirmait, dès l'ouverture, que la vie a un terme et qu'il vaut la peine, face à cette échéance, d'employer au mieux son temps et son énergie psychique.

Dans les pays occidentaux, il y a une diffusion de plus en plus grande de manuels, de méthodes et de conseils pour vite aller mieux. Heureusement, parallèlement à cette frénésie thérapeutique qui consiste à vouloir guérir tout le monde tout de suite, on constate un intérêt croissant pour l'Orient et ses techniques de méditation. De même, les médecines alternatives, comme l'homéopathie, prévoient des temps de traitement plus longs qu'en médecine conventionnelle : plutôt que d'agresser le malade avec des médicaments qui peuvent se révéler toxiques, elles aident l'organisme à reconstituer ses défenses naturelles. C'est presque un paradoxe que, dans un monde sans cesse plus dominé par la hâte, les principes de la philosophie indienne ayurvédique et les techniques du lointain Orient rencontrent, aujourd'hui, un regain de faveur. Cela se vérifie dans le traitement des souffrances psychiques mais aussi dans le domaine amoureux où, nous l'avons vu, le Kamasutra, le Tao et le tantrisme suscitent un nouvel intérêt.

DANS L'ESPRIT DU THÉRAPEUTE

Il faudrait que les thérapies se concentrent exclusivement sur le patient et sur ses besoins. Mais il y a plusieurs types d'intervention possibles. Au début, il s'agit souvent de résorber une crise : les problèmes que celle-ci dissimule ne peuvent être examinés que dans un second temps. En effet, lorsqu'on se trouve en présence d'un mal physique ou d'un conflit psychologique aigu, il est nécessaire de s'occuper, d'abord, de la survie du patient. Quand la situation s'est stabilisée, il est alors possible d'analyser les causes anciennes responsables de la crise. La métaphore de l'inondation peut faciliter la compréhension de ce point : quand le fleuve menace de déborder, il est impératif de commencer par placer des sacs de sable le long des berges, mais cela ne dispense pas, ensuite, de reboiser la colline. Sinon, tôt ou tard, la situation se reproduit et on se retrouve, de nouveau, dans un cas d'urgence.

Évidemment, ces projets centrés sur le patient dépendent aussi de la formation du thérapeute. Suivant ses convictions personnelles, celui-ci peut soutenir que « plus c'est long, et mieux c'est » ou que « plus c'est court, et mieux ça vaut ». Je dois avouer que je suis souvent consterné par la lenteur que mes confrères psychanalystes manifestent en dehors du champ professionnel. Dans la vie, ils sont très peu sportifs, s'expriment en marquant des pauses interminables et, sauf rares exceptions, manquent totalement d'esprit de repartie. C'est comme s'ils étaient empreints d'une idéologie de la lenteur qui influerait sur leurs interventions thérapeutiques. À l'autre bord, il y a, depuis quelques années, des professionnels de type plus « managérial », qui valorisent la rapidité et voient dans les temps brefs une marque d'efficacité. Ils ont tendance à agir sur le symptôme sans chercher, calmement, à voir ce qu'il cache. Pour les psychanalystes, s'il y a un désordre, il y a aussi une cause profonde dans l'économie psychique. Dans ce cas, « effacer » trop vite le symptôme ôte le moyen d'intervenir plus en profondeur et laisse le patient en déséquilibre, prêt à adopter, en remplacement, un nouveau symptôme encore inconnu. De même, la psychanalyse considère que les temps morts pendant les séances sont, en réalité, vitaux parce qu'ils permettent la « digestion » et l'assimilation du projet de changement. Pour les partisans des interventions brèves, c'est du temps perdu, parce que leur projet d'intervention est de type pédagogico-éducatif, et non interprétatif. Si le thérapeute a un tempérament de missionnaire, il va probablement être actif, parfois jusqu'à l'activisme, et employer moins de temps qu'un autre thérapeute qui entend accompagner et « faciliter » le changement.

Autre facteur de distinction : l'importance que le thérapeute accorde au passé, au présent ou au futur. Je privilégie, comme bien des analystes, le rôle du passé. Ce n'est pas par nostalgie ou pour renforcer la tradition, mais parce que je suis persuadé que les pulsions libidinales et les pulsions agressives, Éros et Thanatos, apparaissent au début de la vie affective et marquent de leur empreinte durable l'ensemble de nos expériences ultérieures. Dans les cas pathologiques, c'est le poids du passé qui est devenu prédominant.

Mais il existe des psychothérapeutes pour lesquels le présent a une importance déterminante. Ce sont les tenants de l'approche cognitivo-comportementale, de la psychologie humaniste ou de la thérapie systémique : il faut, selon eux, partir des difficultés actuelles du patient et ne remonter qu'ensuite aux causes plus lointaines. Cette stratégie, qu'on appelle *problem solving*, est souvent appliquée dans le domaine médical. Alors que l'ouverture de centres de psychothérapie est de plus en plus rare, on voit se multiplier les centres spécialisés dans le traitement des céphalées, de la ménopause, des crises de panique, des problèmes sexuels, des troubles du sommeil ou de l'alimentation. On a même ouvert à l'université de Stanford, en Californie, un « bureau » d'aide pour les timides, idée qui devrait rapidement faire son chemin jusqu'en Europe. Pour les adeptes du *problem solving*, il faut, d'abord, se situer dans le « ici et maintenant » et s'occuper de la crise qui a amené le patient à venir consulter. Ce n'est que dans un second temps qu'on évalue si le problème peut être résolu dans le présent ou s'il remonte au passé et réclame une thérapie analytique.

Si le thérapeute a une formation de comportementaliste ou, surtout, de cognitiviste, il s'intéresse prioritairement à la manière erronée dont le patient pense et se comporte, en lui proposant d'autres solutions plus adaptées. Si l'approche est plutôt communicationnelle, les techniques d'observation sont proposées en individuel, en couple ou en famille. Le but est alors de constituer ensemble une nouvelle réalité à travailler. Ce type de thérapie est indiqué quand les personnes ont tendance à tout intellectualiser et font remonter dans le passé la cause de leurs problèmes actuels, sans se donner le temps de travailler sur la réalité immédiate. Il peut s'agir de tout petits faits, comme dans le cas suivant.

Charles est un cadre supérieur de cinquante ans qui, après vingt ans de mariage, a eu sa première aventure extraconjugale avec une secrétaire. L'histoire est aujourd'hui terminée, et Charles a quitté Lille avec sa femme pour s'installer à Reims. Mais, à chaque fois qu'il est obligé de retourner à Lille pour des raisons professionnelles, Élodie s'inquiète et se ronge. Un jour, après un déplacement de deux ou trois jours à Lille, Charles rentre à la maison, après avoir pris soin d'avertir sa femme qu'il arriverait tard. Fatigué, il va immédiatement se coucher, alors qu'Élodie a attendu son retour avec impatience. Le lendemain matin, il se lève avant sept heures, prend sa douche et sort précipitamment de la maison pour se rendre au bureau. À la séance du couple, Élodie se plaint ; à l'évidence, son ancienne jalousie s'est réveillée. C'est exactement ce que craignait Charles, qui redoutait de rentrer à la maison et de subir, pour la millième fois, le caractère très possessif de sa femme. Que faire avec un couple pareil ? Les longues discussions théoriques sur la fidélité ne sont pas très efficaces. En revanche, les thérapies de couple modernes demandent que le « fait » soit décrit en détail et, éventuellement, « mimé ». Cette technique qu'on appelle microanalyse permet d'agir comme Hercule Poirot dans les romans policiers d'Agatha Christie, c'est-à-dire d'attribuer d'autres significations, souvent plus adéquates, au même événement.

Les partisans de l'approche humaniste s'intéressent également au présent, mais en insistant sur la valeur irremplaçable de l'expérience physique. « Vis d'abord, et comprends ensuite », tel pourrait être l'adage de cette école de psychothérapeutes, qui donnent au corps un rôle central dans la révélation de la vérité et voient dans le discours une intellectualisation de nature défensive.

En conclusion, nous pouvons dire que la thérapie doit, dans la mesure du possible, être centrée sur le patient. S'il est vrai que certains d'entre eux ont une vision distordue du temps (les gens toujours pressés, les malades de l'urgence ou les personnes inhibées qui ne veulent jamais rien commencer, et encore moins changer), il est vrai aussi qu'un rythme imposé par le médecin constitue une solution autoritaire. Cette prise en main peut être efficace auprès des patients dépendants ou passifs, qui ont besoin d'être guidés ou dirigés mais, à la longue, elle risque de nuire à l'alliance thérapeutique, à laquelle nous donnons le nom de *compliance*.

Cette attention aux temps opportuns du patient devrait conduire les médecins à modifier certains rituels immuables, comme la fréquence et la durée des séances. Certains patients très anxieux réussissent à parler et à s'exprimer rapidement : en moins d'une demi-heure, on a atteint l'objectif fixé. Mais ceux qui sont inhibés, passifs, déprimés ou, éventuellement, défiants ont besoin de beaucoup plus de temps pour s'ouvrir : dans leur cas, une séance d'une heure ne suffit pas. Les mêmes considérations valent pour l'intervalle prévu entre deux séances : les tenants de la psychanalyse kleinienne prescrivent quatre rendez-vous hebdomadaires, tandis que les partisans des thérapies familiales systémiques donnent des « exercices à faire à la maison » et laissent passer plus de temps entre les séances, pour que la personne suivie puisse évoluer personnellement. Même dans ce cas, la cadence doit tenir compte de la disposition du patient : si celui-ci est en proie à un grand trouble, qu'il a un Moi fragile et qu'il est incapable de gérer sa propre autonomie, il faut que l'intervalle entre les séances soit très réduit. C'est particulièrement vrai pour des personnalités anxieuses qui, sans le thérapeute, rechutent systématiquement ou des dépressifs qui n'ont pas, du moins au début, l'énergie suffisante pour faire fonctionner tout seuls « la machine » de la guérison. Ce qu'il faut éviter, en revanche, c'est que le rythme de la thérapie soit dicté par les habitudes du médecin.

On soupçonne toujours les thérapeutes dont le carnet de rendez-vous n'est pas assez rempli d'accélérer le rythme des séances. C'est comme si un médecin choisissait de soumettre un malade atteint de bronchite à un contrôle hebdomadaire ou bimensuel suivant ses disponibilités ! Les associations médicales s'indignent et déclinent toute responsabilité tandis que les compagnies d'assurance protestent avec la même véhémence : puisque, en comparant les performances des médecins, elles peuvent reconnaître ceux qui ont une gestion anormale du temps thérapeutique.

COMBIEN DE TEMPS ET POUR QUEL PROJET ?

Il doit être clair à présent que la durée d'une intervention sera proportionnelle au but visé. L'illusion du patient, qui veut obtenir rapidement des solutions définitives, peut entrer en dangereuse synergie avec la toute-puissance du médecin qui promet, pour une échéance proche, ce qu'il ne peut garantir dans la réalité.

Avant de commencer une thérapie, il faut en préciser les objectifs et définir les stratégies qui permettent d'y atteindre. Le temps diffère alors selon qu'il s'agit d'une intervention pédagogique, de la gestion d'une crise ou bien d'engager une thérapie remontant aux racines anciennes du malaise actuel.

Interventions pédagogiques : la vérité à l'heure dite

Marielle est une enfant de huit ans qui a une peur terrible du dentiste. L'an dernier, pour enlever une carie et faire un plombage, il a fallu l'endormir complètement, parce qu'elle était prise de véritables crises de panique à l'idée de subir une injection anesthésiante. Cette fois, Marielle a rencontré un orthodontiste qui lui a permis d'affronter, puis de dominer son anxiété. Ce collègue, auquel j'ai apporté mon aide en tant que psychologue [1], a commencé par adopter l'attitude corporelle adéquate, en se mettant à la hauteur de la fillette. Ensuite, il a caché dans un tiroir ses « instruments de torture » et, en s'aidant d'un petit miroir, a expliqué à sa jeune patiente tout ce qu'il allait faire. Il lui a fait observer comment la pâte anesthésiante (que l'enfant pouvait s'appliquer elle-même) réduisait la sensibilité de la gencive. Puis Marielle, qui redoutait le moment de la piqûre anesthésiante, a été renvoyée chez elle. Le dentiste lui a proposé de réfléchir tranquillement jusqu'au prochain rendez-vous. Cette fillette éveillée et responsable a voulu donner la preuve qu'elle était une grande fille et, la fois suivante, a accepté la piqûre. Ce dentiste très pédagogue avait pris le temps de tout expliquer à Marielle, pour pouvoir apaiser son angoisse. Deux séances ont suffi, parce que ce projet était de type pédagogique et qu'il était limité. Je n'emploie pas de manière irréfléchie le terme « pédagogique » : souvent, ceux qui enseignent, qui écrivent sur des sujets de vulgarisation ou qui transmettent des informations, suivent leur temps intérieur, sans se soucier de la façon dont seront reçus leurs propos.

Quoi qu'il en soit, il existe des conseils simples et utiles permettant de ralentir ou, au moins, de diminuer l'angoisse frénétique. Il s'agit de retrouver ses propres rythmes naturels en évitant, dans la mesure du possible, les rythmes sociaux intrusifs. Voici six principes qu'on peut recommander.

1. Avancez de vingt minutes l'heure de votre réveil (et choisissez de préférence une musique douce). Avant de vous lever, étirez-vous comme un chat en actionnant doucement vos articulations.

2. Accordez à la douche, au maquillage ou à la barbe un temps « différent », non seulement d'un point de vue quantitatif, mais en prêtant plus d'attention à votre corps.

3. Déjeunez tranquillement, jamais debout, mais assis, à la maison aussi bien qu'au café.

4. Puisqu'il vous faudra bien, de toute façon, affronter le trafic, cherchez à en diminuer le stress (inutile de vouloir à tout prix dépasser la voiture devant vous !) et employez les temps morts de vos déplacements à des microtechniques de relaxation (vous pouvez, par exemple, travailler votre respiration).

5. Offrez-vous des pauses au cours de la journée, et profitez-en. Si vous prenez un café, ne l'avalez pas d'un trait, mais savourez-le en petites gorgées. Goûtez, en somme, même les plus petits plaisirs.

6. Donnez-vous chaque jour un moment de plaisir : une promenade, un tour dans un magasin, un chocolat sur une terrasse...

D'autres règles d'or peuvent être très utiles :

1. Accordez-vous de petites pauses : cinq minutes de répit après cinquante-cinq minutes de travail.

2. Suivez le rythme des saisons : plus tranquilles l'hiver, plus actifs l'été. Pour les femmes, plus de calme et de paix pendant le cycle menstruel.

3. Acceptez de laisser les choses en plan : que ce soit un livre, un film ou bien un travail que vous n'arrivez pas à terminer ou qui ne vous satisfait pas.

4. Pendant une semaine, tenez votre « journal du temps » et notez la façon dont vous occupez vos journées. Observez, notamment, si les seules pauses que vous vous accordez sont devant la télévision.

5. Essayez de ne pas faire deux choses à la fois : par exemple, fumer en mangeant, téléphoner en conduisant, etc.

6. Ne courez pas contre la montre, en pensant agir deux fois plus vite que les autres.

Un autre exercice que je vous recommande est celui de la « montre de la vérité ». Choisissez un moment de la journée où vous ne serez pas dérangé, asseyez-vous silencieusement, dans un fauteuil confortable, enlevez votre montre et posez-la près de vous. Fermez les yeux et concentrez-vous sur votre respiration. Cherchez à rester le plus longtemps possible dans cette position, puis ouvrez les yeux et regardez votre montre. Si les aiguilles indiquent qu'il s'est écoulé peu de temps, une minute par exemple, alors que l'expérience vous a semblé durer une éternité, c'est que vous vivez dans une trop grande précipitation. Répétez régulièrement cet exercice, en cherchant à ajuster votre perception interne du temps sur la réalité du temps de la montre.

La visualisation est une autre technique pédagogique intéressante. Si vous êtes prêt à l'essayer, allongez-vous sur le dos et détendez-vous jusqu'à ce que vous vous sentiez bien. Respirez profondément trois fois en augmentant l'expiration. Imaginez maintenant de petites plumes blanches, roses et vertes : elles montent de votre corps et s'envolent tout doucement, allant toujours plus loin, plus haut, jusqu'à disparaître. Pour entrer plus facilement dans le monde de l'intériorité, vous pouvez vous aider d'une lumière chaude et diffuse ou bien des rythmes lents d'une musique new age... Même pour le grand Albert Einstein, l'imagination avait plus d'importance que la connaissance. Et le peintre Paul Gauguin était du même avis qui disait : « Je ferme les yeux pour voir. » On peut rêver les yeux ouverts, d'une manière qui n'a rien d'immature, en partant d'images simples et évocatrices, par exemple : si j'étais un loup, une mouette, un papillon... La rêverie n'est pas un privilège de l'enfance, mais comment rester enfant quand on est devenu adulte ? En cultivant son imagination, laquelle permet à l'intelligence de conserver sa fluidité, sa vivacité et son originalité. Et il arrive même que les fables sauvent des vies. Souvenons-nous de Schéhérazade qui, pendant mille et une nuits, survécut en racontant une histoire toujours différente à son maître le sultan.

Pour gérer une crise, il faut positiver

C'est souvent dans les moments de crise qu'on distingue les vrais champions sportifs – et, dans la vie, les personnes sages et matures – de ceux dont la construction est « artificielle ». Une façon très simple de gérer l'urgence consiste à transformer toute difficulté en occasion favorable et de profiter des immenses ressources de l'être humain qui, souvent, ne sont exploitées que dans une infime partie. Et plutôt que de croire à la providence, il vaut mieux s'employer à se concilier le hasard [2]. Exemple : la probabilité d'avoir un accident dépend du moyen de transport utilisé ; il suffit donc de prendre le train plutôt que la voiture ou bien d'éviter de rouler au-delà d'une certaine vitesse, pour influencer favorablement le sort.

Parmi les techniques qui permettent d'agir sur la réalité, il y a aussi le principe du relativisme. « À chacun sa vérité », disait Luigi Pirandello, qui était fondamentalement pessimiste. Le titre de cette pièce de théâtre suggère que nous pouvons « fabriquer » notre réalité ou, du moins, l'infléchir dans un autre sens. En psychothérapie, les patients en viennent souvent à reparler des histoires tristes du passé. Je leur répète que nous ne pouvons modifier ce qui a eu lieu, mais que nous pouvons lui donner une signification différente. Il ne nous faut jamais renoncer à penser positivement et à utiliser la réalité dans un sens qui nous soit favorable. Je voudrais rappeler ici un personnage de fiction qui m'est cher et que tous les enfants adorent : Tom Sawyer[3]. Tom qui a été puni par sa tante Polly doit repeindre la palissade qui entoure la cour de la maison. Son ami Ben passe par là, le voit avec un pinceau à la main et se moque de lui. Mais Tom lui répond que ça l'amuse de blanchir les poteaux, parce que c'est une chose qu'on ne fait pas tous les jours. Piqués par la curiosité, ses amis demandent à participer et Tom, bon prince, y consent. À condition, toutefois, qu'ils lui donnent des images pour qu'il soit récompensé dimanche à l'église.

N'oublions pas, en outre, que nos connaissances peuvent aussi modifier notre perception de la réalité. Devant un bosquet d'arbustes, un botaniste reconnaît des espèces rares, tandis qu'un jardinier moins expert n'y voit que des mauvaises herbes à arracher. De même, notre façon positive ou négative de percevoir la réalité peut avoir une très grande influence. Certains soutiennent, avec justesse selon moi, qu'il faut tenir à distance tous les pessimistes, car ils sont contagieux. On peut en dire autant des optimistes : il vaut mieux s'entourer d'amis et de collaborateurs enthousiastes qui nous aident à surmonter les difficultés, plutôt que d'esprits chagrins qui ont pour seul effet de nous déprimer encore plus !

Une autre manière de gérer les crises consiste à comprendre et modifier les attentes mal fondées.

Parfois, faire comprendre au partenaire le sens de certains comportements permet d'aider à surmonter les moments les plus critiques. Raymonde a cinquante-cinq ans. Après trente années de fidélité réciproque, elle vient de découvrir que son mari l'avait trompée avec sa secrétaire.

Cette trahison est survenue au moment où elle devait être opérée pour une maladie intestinale très grave, dont l'issue pouvait être mortelle. Terrifié par cette perspective, son mari s'était, en quelque sorte, constitué une « bouée de sauvetage ». Heureusement, le couple a traversé le moment le plus aigu de la crise et a choisi de rester ensemble. Ils ont recommencé à faire l'amour mais il arrive parfois que Raymonde, qui n'a pas « digéré » l'affront, se bloque et entre en fureur. Elle rêve alors de tuer sa rivale et fait souffrir son mari comme il l'a fait souffrir. « Tu aurais dû me tromper il y a une quinzaine d'années, hurle-t-elle. Comme ça, j'aurais pu me prendre un amant. Et nous aurions été quittes ! » En langage footballistique, on dirait : un partout ; la balle au centre. Le problème de Raymonde, c'est qu'elle n'arrive pas à oublier ce qui s'est passé et à imaginer un autre type de compensation affective que l'adultère. Certaines femmes, de manière vraiment trop cynique, acceptent que l'offense soit réparée par un présent très coûteux. Pour ma part, je pense qu'il faut une solution, même imparfaite, pour arrêter l'exacerbation du sentiment d'injustice, et pour que Raymonde cesse par ses projets de vengeance, de mettre son couple en péril, alors qu'il pourrait, au contraire, profiter de cet « incident » pour mieux repartir. Il s'est produit une amélioration quand j'ai pu convaincre Raymonde que l'infidélité de son mari avait eu une fonction plus antidépressive qu'érotique. Cet homme, fidèle depuis toujours, était tellement malheureux à l'idée de perdre sa femme qu'il avait cherché un « port » de substitution pour son navire à la dérive. Et de manière naturelle (et même assez banale), il s'était tourné vers l'autre femme de sa vie... sa secrétaire ! Lorsque Raymonde a réussi à faire de la trahison de son mari l'équivalent d'un comprimé de tranquillisant, sa rage s'est apaisée.

Du présent au passé

Dans bien des situations, il faut prévoir une thérapie en deux temps : d'abord, gérer la crise ; ensuite, affronter le passé. Personnellement, c'est l'approche que j'ai choisie parce qu'elle permet d'éviter les oppositions de principe entre les partisans des deux types de thérapies, longues ou brèves.

C'est ce que prouve l'histoire de Dominique qui demande à me voir de toute urgence et qui, fondant en larmes, m'explique qu'elle a subi les avances de son gynécologue. Elle avait pris un premier rendez-vous à cause d'une infection vaginale. Le médecin s'était montré attentif et ouvert ; il l'avait rapidement tutoyée, bien qu'elle ait déjà dix-huit ans. À la quatrième visite de contrôle, l'infection avait entièrement disparu et Dominique se sentait bien. Elle avait alors profité de la confiance instaurée pour raconter ses problèmes sentimentaux : elle n'arrivait pas à faire durer ses relations au-delà de deux rencontres, avait-elle expliqué au gynécologue ; pourtant, elle ne rêvait que d'une chose, unir les plaisirs du cœur et du sexe. Son médecin, probablement séduit et, en tout cas, très maladroit, était alors sorti de sa réserve médicale et l'avait invitée à dîner. Dominique avait refusé et était rentrée à la maison, sans plus y penser. Mais, une fois chez elle, elle avait été prise d'une crise de fureur. Elle avait immédiatement demandé un nouveau rendez-vous et avait menacé le gynécologue de le dénoncer, lequel l'avait suppliée de n'en rien faire pour ne pas briser sa carrière. Leur « relation » s'était arrêtée là, mais Dominique, depuis, n'avait cessé de repenser à cet épisode, avec des réactions toujours très excessives, tantôt pleurant à chaudes larmes, tantôt entrant dans une colère noire.

Je discute avec Dominique de la signification de ce qui lui est arrivé et cherche à replacer cet incident dans son histoire personnelle. Son père est un Toulousain toujours prêt à parler du dernier match de rugby, mais incapable de la comprendre. Il n'a jamais été très attentif à ses deux filles. Il est impensable de lui parler de ce qui s'est passé avec le gynécologue. Sa mère est issue de la bourgeoisie bordelaise. Longtemps soumise à son mari, elle s'est entichée de philosophie new age à l'âge de quarante ans. Elle a alors commencé à s'habiller de façon plus « relax », à suivre des séminaires de mystique et d'ésotérisme et à être moins présente à la maison. Dominique, qui avait douze ans à l'époque, s'est sentie abandonnée et a mal vécu cette période qui coïncidait avec sa puberté. Je crois que la scène chez le gynécologue, en dehors de son aspect humiliant, a provoqué une réaction excessive parce qu'elle a réveillé d'anciennes désillusions à l'égard de ses parents. Inconsciemment, Dominique a tenté d'établir avec le médecin une relation « chaleureuse », qu'elle n'a jamais eue avec son père. Quand le gynécologue a dépassé les bornes et, de père gentil et attentif, s'est transformé en amant potentiel, le souvenir du brusque changement d'attitude de sa mère s'est réactivé. Dominique doit encore résoudre le problème affectif de la bonne distance. « Ni trop près, ni trop loin » : c'est le secret de l'intimité réussie, avec un bon équilibre entre le sexe et le cœur, lequel a été perturbé, dans le cas de Dominique, par l'examen gynécologique. Mais cette jeune fille, intelligente et sensible, a compris que le récent incident n'est que la pointe émergée de l'iceberg et qu'il renvoie à un ensemble de problèmes liés à la question de l'intimité. Cela ne fait qu'augurer au mieux l'issue de la psychothérapie.

Claire a deux ans de plus que Dominique et souhaite que je l'aide à résoudre un conflit de couple. Voilà trois mois, m'explique-t-elle, qu'elle n'a plus envie de faire l'amour avec Matthieu. Le premier entretien laisse entrevoir que ce problème de nature sexuelle s'inscrit, en fait, dans une problématique plus large. Claire est d'origine somalienne. Enfant, elle a été abandonnée sur un trottoir, seule et blessée. À trois ans, elle a été adoptée par un couple qui avait déjà une fille, mais qui ne pouvait plus avoir d'autre enfant. Claire a eu plusieurs problèmes de santé assez graves et souffre, notamment, d'une cécité partielle qui l'a empêchée de s'affirmer comme elle l'aurait souhaité. Elle a eu des difficultés scolaires, surtout parce qu'elle se comparait à sa sœur, brillante étudiante en médecine. Elle adore les animaux et rêve de devenir vétérinaire. C'est une jeune femme sympathique, mais peu « organisée », dont la vie affective et sexuelle a été très mouvementée. Elle a eu ses premiers rapports sexuels à quatorze ans et les décrit comme « extravagants ». Son ami de l'époque aimait faire l'amour en plein air, dans le jardin, quand il était sûr que le voisin l'observait. De cette expérience, Claire affirme qu'elle lui a appris à se libérer sexuellement, mais qu'elle a été très décevante sur le plan affectif. Après plusieurs histoires sans lendemain, elle a fait la connaissance de Matthieu, à qui elle a tout appris. Alors qu'il s'« éveillait » sexuellement, Claire a senti qu'elle était en train de perdre tout désir. Comment expliquer ce changement ? La réponse se situe à un double niveau, sexuel et psychologique. Claire s'est servie du sexe pour instaurer une relation affective et pour s'affirmer. Une fois parvenue à ses fins, elle n'a plus trouvé de motivations érotiques dans le sexe, puisqu'il s'agissait surtout de satisfaire un besoin affectif.

Au cours des entrevues suivantes, il apparaît que cette sexualité « extravagante » n'est pas seulement due à la rencontre d'un garçon pervers : elle s'explique aussi par une histoire familiale ambiguë. Le père de Claire est un célèbre sculpteur, avec qui elle a toujours eu des rapports étranges. Elle se sent systématiquement mal à l'aise dès qu'ils se retrouvent seuls dans la même pièce. Avec sa mère, en revanche, les relations sont froides et plutôt formelles. Dans les premiers rapports familiaux, la bonne distance affective doit éviter un double écueil : l'éloignement glacé, comme chez la mère de Claire, et la proximité excitante et risquée, comme avec son père. Voilà pourquoi cette jeune femme n'est pas parvenue à créer de relation harmonieuse mariant l'érotisme et l'affectif. Les difficultés sexuelles que Claire connaît aujourd'hui me paraissent prendre place dans un ensemble de problèmes liés à son histoire personnelle. Seule une longue psychothérapie peut l'aider à en venir à bout.

Le temps de revivre

Estelle a vingt-trois ans. Elle vient me consulter parce qu'elle a tendance à boire et qu'elle multiplie les rapports sexuels, sans y trouver de vraie satisfaction. Ce comportement d'autodestruction frénétique lui a fait courir des risques insensés, comme celui du sida. Elle manifeste d'abord envers moi une attitude de défi, celle qu'elle adopte avec tous les hommes. Elle me raconte, avec un triomphalisme évident, qu'elle parvient toujours à séduire, en une soirée, l'homme qu'elle veut et qu'elle l'« achève » ensuite au lit. Estelle est une belle jeune femme pour qui la vie à deux est un pari. Cette conception vaut aussi pour notre relation. Sachant qu'en plus d'être psychiatre, je suis aussi sexologue, elle me décrit dans les plus petits détails, et sans aucune inhibition, toutes les prouesses sexuelles dont elle est capable. Une seule tache d'ombre dans ce tableau plein de morgue : l'absence de l'orgasme. Estelle ne « sent pas » ses parois vaginales, qui sont comme anesthésiées. Elle n'atteint, et encore difficilement, l'orgasme qu'en se masturbant et en imaginant qu'elle séduit une femme. Durant la première phase de notre relation thérapeutique, elle manifeste une identification au rôle masculin, celui-là même qu'elle déteste : fille d'un père dominateur, elle cherche, par analogie, à envoyer au tapis chaque homme qu'elle rencontre. Je perçois, derrière cette attitude de défi, un profond désarroi dont je cherche à lui faire part. Je lui déclare être prêt à m'occuper d'elle plus que de sa vie sexuelle, mais à la condition qu'elle veuille bien limiter ses comportements excessifs et dangereux. Un mécanisme de confiance se met alors en place, avec quelques retours de méfiance, comme si c'était moi qui l'astreignais à une dangereuse dépendance. Je suis mis à l'épreuve à plusieurs reprises, par exemple quand elle me raconte comment elle a séduit un de mes assistants rencontré par hasard dans un bar. Lorsque j'arrive avec dix minutes de retard à une autre de nos séances, elle y voit un manque de respect et ne se présente pas aux deux rendez-vous suivants.

Mais une fois qu'elle a vérifié que ni la séduction ni les provocations ne pouvaient mettre en crise notre relation, mon rôle de garde-fou se renforce : je suis, peu à peu, investi de la charge de contrôler ses excitations et ses fureurs. Puis, au bout de six mois, vient le temps des réminiscences : Estelle commence à retrouver la mémoire et entreprend le récit d'événements extrêmement douloureux. Derrière la figure paternelle, apparaît le personnage de la mère, femme d'une certaine vanité qui supportait mal de voir ses enfants recevoir de l'affection ou, pire, de l'admiration. Cette mère se voyait en rivalité permanente avec ses enfants : elle mesurait son vieillissement à leur développement. Quand Estelle avait neuf ans, elle est partie avec un autre homme, laissant les enfants à leur père, qui n'a pas trouvé de meilleure solution que de les mettre dans un pensionnat de luxe. Ma patiente a développé les blessures caractéristiques de tous les mal-aimés, recherchant de la chaleur et de la tendresse, mais faisant tout pour ne pas en recevoir, par excès de précipitation ou par pur sabotage. À seize ans, elle découvrait le sexe ; à dix-huit, elle était mariée ; à dix-neuf, elle était mère et à vingt, elle avait quitté son foyer après que son mari disque-jockey l'eut frappée un soir d'ivresse. Reproduisant le comportement de sa mère, Estelle a laissé la garde de son fils à son conjoint et à ses grands-parents. Elle s'est alors lancée à corps perdu dans une promiscuité affolée qui, finalement, l'a conduite à venir me consulter.

Aujourd'hui, soit un an après, la relation thérapeutique s'est stabilisée et Estelle a trouvé vis-à-vis de moi la juste distance affective : ni trop près, ni trop loin. La cure se poursuit et durera encore au moins un an, au rythme de deux séances par semaine. Estelle est en train de découvrir le difficile rapprochement du sexe et du cœur. Elle est en passe de comprendre comment son excitation sexuelle la laisse insatisfaite mais la pousse aussi à commettre des erreurs affectives, puisqu'elle ne lui permet pas de juger de la sincérité de ses partenaires. Mais elle a accepté de perdre quelques batailles pour gagner la guerre ! Elle a eu des aventures d'un mois ou deux, où elle est restée fidèle : elle s'est sentie sexuellement plus apaisée, ce qui, à ses yeux, était de l'ordre du miracle. Il me semble que le plus difficile de la thérapie est désormais derrière nous. Malgré les turbulences inévitables, nous avons maintenant adopté un rythme de croisière, et les résultats sont là. Mais pour y parvenir, il a fallu les trois « T » de la psychothérapie : du temps, du tact et du talent. Le premier, surtout, a été indispensable, pour passer de la période de défi à celle de la cohabitation prudente et, enfin, atteindre la phase, douloureuse mais positive, de la réminiscence. On ne peut accélérer, en le banalisant, le temps nécessaire à la guérison quand il s'agit de blessures si profondes et anciennes.

LE MOT DE LA FIN

« Pardonne-moi de t'envoyer une lettre si longue, disait Oscar Wilde à un ami, mais je n'ai pas le temps d'en écrire de plus courte. » Ambigu, paradoxal, tel est le temps, que nous avons cherché à saisir dans les mailles de notre analyse ; perdu ou gagné, mais toujours en fuite. Nous avons voulu le cerner dans toute sa complexité, reconnaissant la valeur de la vitesse, mais critiquant la frénésie.

Mais vous, quelle est votre attitude face au temps ? En lisant ce livre, par exemple, avez-vous sauté des lignes ou des passages ? Et ce matin, avez-vous enfilé le premier vêtement qui vous venait sous la main ou bien avez-vous choisi celui qui vous plaisait le plus ? Dans la fable de La Fontaine, seriez-vous le lièvre ou la tortue ? Et, à la gare, avez-vous pour habitude d'arriver à l'avance ou au dernier moment ? En somme, j'espère que la lecture de ce livre vous aura permis d'identifier le temps que vous préférez. Certains auront peut-être, aussi, découvert la multiplicité des rythmes et la richesse de la variété, bien exprimée dans l'adage latin *Festina lente*, « Hâte-toi lentement ». L'empereur Vespasien avait fait graver ces mots au pourtour de certaines médailles et, sur l'envers, on pouvait voir une ancre entrelacée à un dauphin, association symbolisant la fermeté des projets et la promptitude des actions.

Malheureusement, il ne suffit pas de connaître le temps

que soi-même on préfère ; il faut aussi respecter le temps d'autrui. Harmoniser les rythmes du sommeil, des repas et du sexe est un passage obligé de la vie à deux ; c'est aussi un obstacle sur lequel se brisent quantité d'unions. Les couples devraient se soucier de leur synchronisation et inventer une sorte de chronobiologie à deux. Mais, socialement, malgré les appels répétés à plus de lenteur, la tendance est à l'accélération. Pareil contexte donne tout son poids à une citation massaï du début du siècle :

« Chaque matin en Afrique, une gazelle s'éveille. Elle sait qu'elle devra courir plus vite que le lion ; sinon, elle sera tuée.

Chaque matin en Afrique, un lion s'éveille. Il sait qu'il devra courir plus vite que la gazelle ; sinon, il mourra de faim.

Quand le soleil se lève, peu importe que tu sois lion ou gazelle : tu ferais bien de commencer à courir. »

C'est donc à chacun d'entre nous de résister à la frénésie, tout en retrouvant ce qu'il y a de positif dans la vitesse et, pourquoi pas, le plaisir des rythmes endiablés. Et j'espère que ce livre pourra aussi aider à cela.

Dans le colloque récemment consacré à « la société de la hâte », certains ont redit combien il était important d'apprendre à résister aux rythmes tourbillonnaires et haletants. Le plus souvent, ceux-ci s'expliquent par le fait que le temps est une denrée rare et peu contrôlable. Évoquée à propos du couple, la synchronisation serait aussi très utile dans le monde professionnel, car c'est le travail en équipe qui est gagnant, comme dans la course de relais. L'équipe qui a appris à bien synchroniser le passage du témoin est forcément plus rapide que le marathonien solitaire. Dans le cas contraire, on risque de voir se répandre le « syndrome des portables ardents », étrange maladie qui peut entraîner quatre personnes dans une seule et même voiture à discuter, chacune, sur leur portable sans échanger, entre elles, le moindre mot.

Cherchons, au moins, à retrouver les effets positifs de la vitesse. Souvenons-nous des Rothschild qui avaient engagé un messager pour les tenir informés de l'issue de la bataille de Waterloo. Quand ils ont appris, avec un peu d'avance, la nouvelle de la défaite française, ils ont eu l'idée d'acheter des titres anglais en Bourse : ce fut le début de leur fortune. Pour ma part, je préfère m'inspirer d'un ancien poème que je propose en guise de conclusion :

« Prends le temps de penser, parce que là est la véritable force de l'homme.

Prends le temps de lire, parce que là est la base de la sagesse.

Prends le temps de prier, parce que là est la plus grande puissance sur terre.

Prends le temps d'aimer et d'être aimé, parce que là est le privilège que Dieu donne.

Prends le temps d'être aimable, parce que là est le chemin du bonheur [1]. »

NOTES

POUR COMMENCER

1. L. Carroll, *Alice au pays des merveilles*, trad. fr., Paris, Flammarion, 1975.
2. G. Marramao, *Kairos : Apologia del tempo debito*, Bari, Laterza, 1992.
3. J. Swift, *Les Voyages de Gulliver*, trad. fr., Paris, Seuil, 1994.
4. J. Rifkin, *Time Wars*, New York, Henry Holt & Company, 1987.
5. J. Rifkin, *La Fin du travail*, trad. fr., Paris, La Découverte, 1996.
6. *Panorama*, 4 avril 1996.
7. *Ibid.*
8. *Biba*, mai 1996.
9. W. Pasini, *La Qualité des sentiments*, trad. fr., Paris, Payot, 1992.
10. A. Vintoffler, *Le Vie del futuro*, trad. ital., Milan, Rizzoli, 1971.
11. L. Pirandello, « À chacun sa vérité », *Œuvres complètes*, Paris, Gallimard, « La Pléiade », 1977 et 1985.
12. R. Norwood, *Ces femmes qui aiment trop : la radioscopie des amours excessives*, trad. fr., Paris, Laffont, 1988.

Chapitre premier : *Le règne de la frénésie*

1. É. Durkheim, *De la division du travail social*, Paris, PUF, 1986 (11ᵉ édition).
2. J. Rifkin, *Time Wars*, *op. cit.*

3. R. Bendix, *Max Weber : an Intellectual Portrait*, Londres, University of California Press, 1977 (nouv. éd.).

4. L. Mumford, *Technique et civilisation*, trad. fr., Paris, Seuil, 1976.

5. D. S. Landes, *L'heure qu'il est : les horloges, la mesure du temps et la formation du monde moderne*, trad. fr., Paris, Gallimard, 1987.

6. J. Le Goff, *La bourse et la vie : économie et religion au Moyen Âge*, Paris, Hachette, 1986.

7. J. Rifkin, *Time Wars*, op. cit.

8. *L'État de la France, 1996-1997*, Paris, La Découverte, 1996.

9. *Il Sole-24 ore*, 2 juin 1996.

10. J. Rifkin, *Time Wars*, op. cit.

11. *Riza Psicosomatica*, avril 1996.

12. F. Schifano, *in Riza Psicosomatica*, avril 1996.

13. B. Manghi, *Il tempo perso*, Venise, Marsilio, 1995.

14. *Ibid.*

15. A. de Saint-Exupéry, *Le Petit Prince*, Paris, Gallimard, 1989.

16. *La Stampa*, 4 août 1996.

17. J. Rifkin, *Time Wars*, op. cit.

18. *Il Messaggero*, 31 mai 1996.

Chapitre II : *Vite et bien !*

1. G. Scalia éd., *La cultura italiana del '900 attraverso le riviste*, Turin, Einaudi, 1961.

2. G. Stalk et T. Hout, *Vaincre le temps : reconcevoir l'entreprise pour un nouveau seuil de performance*, trad. fr., Paris, Dunod, 1992.

3. J. Rifkin, *La Fin du travail*, op. cit.

4. L. Penati, *Più tempo per vendere meglio*, Milan, Franco Angeli, 1996.

5. J.-L. Fessard, *Le temps du service : relever le défi du temps dans les activités de service*, Paris, Dunod, 1993.

6. L. R. Bittel, *36 heures pour s'initier à la pratique du management*, trad. fr., Paris, Édiscience international, 1993.

7. D. Scott, *L'art de maîtriser le téléphone et le temps : pour mieux communiquer*, trad. fr., Paris, Presses du management, 1991.

8. R. Josephs, *Comment gagner 1 heure chaque jour : 1 heure de lecture pour gagner 365 heures par an*, trad. fr., Paris, Dunod, 1994.

9. K. Gleeson, *Mieux s'organiser pour gagner du temps : un programme d'efficacité personnalisé*, trad. fr., Paris, Maxima, 1995.

10. J. Rifkin, *La Fin du travail, op. cit.*

11. *Epoca*, 8 décembre 1995.

12. D. Goleman, *L'Intelligence émotionnelle*, Paris, Laffont, 1997.

13. Enquête Demoskopea sur un échantillon de deux mille personnes (à paraître).

14. S. Tanzi, « Io corro, tu corri », *in Anna*, mai 1996.

Chapitre III : *La vie paralysée*

1. *Il Giornale*, 12 mai 1996 ; « La Grande Famille », Canal+, 7 mai 1997.

2. G. Viale, *Tutti in taxi. Demonologia dell'automobile*, Milan, Feltrinelli, 1996.

3. B. Manghi, *Il tempo perso, op. cit.*

4. M. Proust, *À la recherche du temps perdu*, Paris, Gallimard, « Folio », 1954.

5. P. Jedlowski, « Tempo del quotidiano, tempo dell'esperienza », *in* C. Belloni et M. Rampazi éd., *Tempo, spazio, attore sociale*, Milan, Franco Angeli, 1989.

6. C. Lalive d'Épinay, *Temps libre*, Lausanne, P. M. Favre, 1982.

7. S. de Beauvoir, *Tous les hommes sont mortels*, Paris, Gallimard, 1946.

8. M. Heidegger, *Être et temps*, trad. fr., Paris, Gallimard, 1986.

9. C. André et P. Légeron, *La Peur des autres*, Paris, Odile Jacob, 1995.

10. W. Pasini, *La Méchanceté*, trad. fr., Paris, Payot, 1993.

11. J. Baudrillard, *La transparence du mal : essai sur les phénomènes extrêmes*, Paris, Galilée, 1990.

Chapitre IV : *L'art de prendre son temps*

1. F. Popcorn, *Le rapport Popcorn, Comment vivrons-nous en l'an 2000 ?*, trad. fr., Paris, Éd. de L'Homme, 1994.

2. K. Davis, « Shifters in kiplinger's », *Personal Finance Magazine*, New York, 1996.

3. Étude IAURIF, 1996.

4. CRÉDOC, 1995.

5. *L'État de la France, 1996-1997*, op. cit., 1996.
6. Sondage SWG pour *Panorama*, 4 mai 1995.
7. Étude Explorer sur commission de l'ASSAP (Associazione delle agenzie pubblicitarie).
8. Colloque « L'univers a du temps à perdre », Florence, 1995.
9. J. Rostand, *Inquiétudes d'un biologiste*, Paris, Stock, 1967.
10. *La Repubblica*, 24 novembre 1995.
11. *L'État de la France, 1996-1997*, op. cit.
12. B. Ugolini, *I tempi del lavoro*, Milan, Rizzoli, 1995.
13. J. Rifkin, *La Fin du travail*, op. cit.
14. P. Larrouturou, *Du temps pour vivre*, Paris, Flammarion, 1996.
15. J. Rifkin, *La Fin du travail*, op. cit.
16. R. Amorevole, C. Colombo, A. Grisendi, *La Banca del tempo*, Milan, Franco Angeli, 1996.
17. M. Soulé *et alii*, *La Salle d'attente*, Paris, ESF, 1985.
18. E. Bergler, « On the psychoanalysis of the ability to wait and of impatience », *Psychoanalytical Review*, 26, 1939, p. 11-32.
19. M. Spira, « Étude sur le temps psychologique », *Revue française de psychanalyse*, 23, 1959, p. 117-140.
20. D. Chopra, *Les Sept Lois spirituelles du succès*, trad. fr., Paris, Grand Livre du mois, 1995.
21. B. Ugolini, *I tempi del lavoro*, op. cit.
22. D. De Masi, *L'Ozio creativo*, Rome, Ediesse, 1995.
23. L. Villoresi, *L'Arte del bagno*, Florence, Ponte alle Grazie, 1996.
24. M. Kundera, *La Lenteur*, Paris, Gallimard, 1994.
25. J. de La Bruyère, *Les Caractères*, Paris, Gallimard, 1975.
26. F. Alberoni, *L'Amitié*, Paris, Pocket, 1995.
27. D. Carnegie, *Comment se faire des amis*, trad. fr., Paris, Hachette, 1973.
28. Ch. Baudelaire, *Œuvres complètes*, Paris, Gallimard, « La Pléiade », 1975.
29. G. Bachelard, *L'air et les songes : essai sur l'imagination du mouvement*, Paris, José Corti, 1943.

Chapitre V : *Naissance et mort du désir*

1. R. Barthes, *Fragments d'un discours amoureux*, Paris, Seuil, 1977.
2. D. Buzzati, *Le Désert des Tartares*, trad. fr., Paris, Laffont, 1976.

3. G. Gasparrini, *La Dimensione sociale del tempo*, Milan, Fr. Angel, 1984.

4. E. Minkowski, *Le temps vécu : études phénoménologiques et pathologiques*, Paris, G. Monfort, 1988.

5. G. Paolucci, *in* C. Belloni et M. Rampazi, *op. cit.*, p. 165-187.

6. S. Beckett, *En attendant Godot*, Paris, Minuit, 1952.

7. F. Kafka, *Le Procès*, trad. fr., Paris, Gallimard, 1942.

8. M. Heidegger, *Être et temps, op. cit.*

9. A. de Saint-Exupéry, *Le Petit Prince, op. cit.*

10. D. Parker, *Here Lies*, New York, Viking Press, 1940.

11. R. Barthes, *Fragments d'un discours amoureux, op. cit.*

12. W. Pasini, *Nourriture et amour*, Paris, Payot, 1995.

13. W. Pasini, C. Crépault, U. Galimberti, *L'imaginaire en sexologie clinique*, Paris, PUF, « Nodules », 1987.

14. N. Friday, *Mon jardin secret : une anthologie des fantasmes sexuels féminins*, trad. fr., Paris, Balland, 1976.

15. W. Pasini, *Sexualité et gynécologie psychosomatique*, Paris, Masson, 1983.

16. H. Piéron, « Le problème du temps au point de vue de la psychophysiologie », *Sciences*, 75, 1945.

17. W. Reich, *La révolution sexuelle : pour une autonomie caractérielle de l'homme*, trad. fr., Paris, Christian Bourgois, 1993.

18. W. Pasini, *À quoi sert le couple ?*, Paris, Odile Jacob, 1996.

19. D. M. Buss, *Les stratégies de l'amour : comment les hommes et les femmes se trouvent*, trad. fr., Paris, InterÉditions, 1994.

20. Actes du Ier congrès commun italo-franco-espagnol de psychoprophylaxie obstétrique, travaux de l'Institut de gynécologie et obstétrique de l'université de Padoue, Pérouse, 1980.

21. Étude du CRÉDOC, *in* E. Albert, *Comment devenir un bon stressé*, Paris, Odile Jacob, 1994.

22. Étude réalisée par l'APREMET et l'INSERM, Paris, Le Club européen de la santé, 1992.

23. D. O'Connor, *Comment faire l'amour à la même femme pour le reste de votre vie !*, trad. fr., Paris, J'ai lu, 1996.

24. R. Barthes, *Fragments d'un discours amoureux, op. cit.*

Chapitre VI : *Entre les draps*

1. G. Dacquino, *Psicologia dell'automobilista*, Novarre, Istituto Geografico d'Agostini, 1989.

2. *Corriere della Sera*, 30 mai 1996.

3. « Speciale San Valentino », Rai1, 14 février 1996.
4. W. Masters et V. Johnson, *Les mésententes sexuelles et leur traitement*, trad. fr., Verviers, Marabout, 1981.
5. H. Kaplan, *La nouvelle thérapie sexuelle : traitement actif des difficultés sexuelles*, Paris, Buchet-Chastel, 1979.
6. G. Abraham et W. Pasini, *Introduction à la sexologie médicale*, Paris, Payot, 1994.
7. *La Repubblica*, 17 juillet 1996.
8. G. Leleu, *Le Traité des caresses*, Paris, France Loisirs, 1984.

Chapitre VII : *Vivre à deux*

1. U. Beck et E. Beck-Gernsheim, *Das ganz normale Chaos der Liebe*, Francfort-sur-le-Main, Suhrkamp, 1990.
2. J. Prévert, *Œuvres complètes*, Paris, Gallimard, « La Pléiade », 1992.
3. G. Salza éd., *Norman e Monique*, Turin, Einaudi, 1996.
4. C. Risé, *Il Maschio selvatico*, Côme, Red Edizioni, 1993.
5. E. Hall, *La danse de la vie : temps culturel, temps vécu*, trad. fr., Paris, Seuil, 1992.
6. D. Tannen, *Décidément tu ne me comprends pas : surmonter les malentendus entre hommes et femmes*, trad. fr., Paris, J'ai lu, 1994.
7. D. Delis et C. Philips, *Le paradoxe de la passion : les jeux de l'amour et du pouvoir*, trad. fr., Paris, Laffont, 1992.
8. *Panorama*, 12 mai 1995.
9. P. Jedlowski, « Tempo del quotidiano, tempo dell'esperienza », art. cité.
10. P. Citati, « Dostoievskij. La tragedia di un uomo sublime », *La Reppublica*, 20 mars 1996.
11. O. Benoît-Guilbot et D. Gallie éd., *Chômeurs de longue durée*, Arles, Actes Sud, 1992.
12. W. H. Auden, *Dis-moi la vérité sur l'amour*, trad. fr., Paris, Christian Bourgois, 1995.
13. D. Francescato, *Quando l'amore finisce*, Bologne, Il Mulino, 1992.
14. D. Francescato, « I separati a rischio », *Rivista di scienze sessuologiche*, vol. 4, mai 1991.
15. J. Wallerstein et S. Blakeslee, *Second Chances*, New York, Ticknor & Fields, 1989.
16. D. Francescato, *Figli sereni di amori smarriti*, Milan, Mondadori, 1994.
17. F. Popcorn, *Le rapport Popcorn...*, op. cit.

Chapitre VIII : *Le corps et ses rythmes*

1. J. M. Waterhouse, D. S. Minos et M. E. Waterhouse, *Your Bodyclock*, Londres, Oxford University Press, 1990.
2. « Biologic rythms », *Clinical and Laboratory Medecine*, 1994.
3. Th. Larsen Crenshaw, *The Alchemy of Love and Lust*, New York, G.P. Putnam's Sons, 1996.
4. A. Manzoni, *Les Fiancés*, Paris, Gallimard, « Folio », 1995.
5. A. Alvarez, *Notte : Un'esplorazione della vita notturna, i linguaggi, il sonno, i sogni*, trad. ital., Milan, Il Saggiatore, 1996.
6. E. Cioran, *De l'inconvénient d'être né*, Paris, Gallimard, 1990.
7. S. Vegetti Finzi et A.M. Battistin, *A piccoli passi*, Milan, Mondadori, 1994.
8. J. Kellerhals et W. Pasini, *Le Sens de l'avortement*, Genève, Georg, 1976.
9. É. Kübler-Ross, *Questions et réponses sur « les derniers instants de la vie »*, Genève, Labor et Fides, 1977.
10. A. Burrone, *La vita, il cancro, te stessa, riprogettiamo l'esistenza*, document interne de « Attive come prima ».

Chapitre IX : *Les maladies du temps*

1. R. Spitz, *De la naissance à la parole : la première année de la vie*, trad. fr., Paris, PUF, 1993.
2. J. Bowlby, *Attachement et perte*, Paris, PUF, 1984.
3. S. Freud, *Trois Essais sur la théorie sexuelle*, trad. fr., Paris, Gallimard, 1969.
4. W. Pasini, *La Méchanceté*, op. cit.

Chapitre X : *L'heure de la guérison*

1. W. Pasini et A. Haynal, *Manuel de psychologie odontologique*, Paris, Masson, 1992.
2. N. Piepoli, *Si cambia*, Milan, Rizolli, 1995.
3. M. Twain, *Tom Sawyer*, trad. fr., Paris, Hachette, 1982.

LE MOT DE LA FIN

1. R. Battaglia, *Alle porte della vita*, Milan, Rizzoli, 1996.

ORIENTATION BIBLIOGRAPHIQUE

ALBERONI Francesco, *L'Érotisme*, Paris, Presses Pocket, 1994.

« *L'attente* », coll., Paris, *Autrement*, « Mutations », 141, 1994.

BARTHES Roland, *Fragments d'un discours amoureux*, Paris, Seuil, « Tel Quel », 1977.

BAUDRILLARD Jean, *La Société de consommation*, Paris, Gallimard, 1996.

BLANCHARD Kenneth et JOHNSON Spencer, *Le Manager minute*, Paris, Organisation, 1994.

CHOPRA Deepak, *Esprit éternel et corps sans âge*, Paris, Stanké, 1996.

DELIS Dean et PHILIPS Cassandra, *Le paradoxe de la passion : les jeux de l'amour et du pouvoir*, Paris, Laffont, 1992.

FREUD Sigmund, *Trois Essais sur la théorie sexuelle*, Paris, Gallimard, 1969.

HALL Edward, *La danse de la vie : temps culturel, temps vécu*, Paris, Seuil, 1992.

JOSEPHS Ray, *Gagner 1 heure chaque jour : 1 heure de lecture pour gagner 365 heures par an*, Paris, Dunod, 1994.

KUNDERA Milan, *La Lenteur*, Paris, Gallimard, 1994.

LARROUTUROU Pierre, *Du temps pour vivre*, Paris, Flammarion, 1995.

MINKOWSKI Eugène, *Le temps vécu : études phénoménologiques et pathologiques*, Paris, G. Monfort, 1988.

MORAND Paul, *L'Homme pressé*, Paris, Gallimard, « L'imaginaire », 1990.

PASINI Willy, *À quoi sert le couple ?*, Paris, Odile Jacob, 1996.

POULET Georges, *Études sur le temps humain*, Paris, Pocket, 1989.

PROUST Marcel, *À la recherche du temps perdu*, Paris, Gallimard, « Folio », 1954.

RIFKIN Jeremy, *La Fin du travail*, Paris, La Découverte, 1996.

STALK George et HOUT Thomas, *Vaincre le temps : reconcevoir l'entreprise pour un nouveau seuil de performance*, Paris, Dunod, 1992.

SUE Roger, *Temps et ordre social*, Paris, PUF, 1994.

VINCENT Jean-Didier, *Biologie des passions*, Paris, Odile Jacob, « Opus », 1994.

TABLE

CET OUVRAGE A ÉTÉ TRANSCODÉ
ET ACHEVÉ D'IMPRIMER SUR ROTO-PAGE
PAR L'IMPRIMERIE FLOCH À MAYENNE
EN AOÛT 1997

N° d'impression : 41842.
N° d'édition : 7381-0500-X.
Dépôt légal : août 1997.

Imprimé en France.